Bescherelle
POCHE

Conjugaison

- ▶ Les tableaux pour conjuguer
- ▶ Les règles pour accorder
- ▶ Tous les verbes d'usage courant

verb2verbe.com

HATIER

Maquette intérieure : Anne Gallet

Mise en page : idbleu

Édition : Évelyne Brossier

© HATIER – Paris 2009 – ISBN 978-2-218-93392-9

Qu'est-ce que la conjugaison ?

La conjugaison est la liste des formes qui, pour chaque verbe, donnent les indications de personne, de nombre, de temps et d'aspect, de mode et de voix. Conjuguer un verbe, c'est énumérer ces formes.

La mauvaise réputation de la conjugaison du français est largement imméritée. Il est vrai que le nombre des formes du verbe est important : 96 formes, simplement pour l'actif. Mais il en va de même dans bien des langues. En outre, la plupart de ces formes sont immédiatement prévisibles. Ainsi, pour l'ensemble des formes composées, il suffit, pour les former correctement, de disposer des trois informations suivantes : la forme de participe passé du verbe, l'auxiliaire utilisé et la conjugaison des deux auxiliaires. Comme on le verra, les formes simples présentent, paradoxalement, un peu plus de difficultés. Mais ces difficultés n'ont rien d'insurmontable.

Quelle est la structure du Bescherelle Poche ?

Le **Bescherelle Poche** donne les indications nécessaires pour trouver rapidement les formes des verbes le plus couramment utilisés en français.

▶ **88 tableaux**

Ils donnent, pour les verbes retenus comme modèles, l'ensemble des formes simples et des formes composées. Les tableaux sont le plus souvent associés à un commentaire qui attire l'attention sur certaines difficultés de la conjugaison du verbe ou des verbes parents.

▶ **La grammaire du verbe et son index**

Elle donne toutes les indications nécessaires sur la morphologie du verbe (c'est-à-dire la description des formes) et sur sa syntaxe (c'est-à-dire ses relations avec les autres mots de la phrase, notamment les phénomènes d'accord). L'index grammatical permet de se référer commodément aux notions expliquées dans la grammaire.

▶ **La liste des verbes**

Sont ici réunis tous les verbes courants de la langue française. Énumérés à l'infinitif, ils sont classés par ordre alphabétique. Pour chacun des verbes figurent des indications sur sa construction et la manière dont il s'accorde. Un renvoi à l'un des 88 tableaux permet de résoudre immédiatement les éventuels problèmes de conjugaison.

Quelles sont les caractéristiques de cette nouvelle édition ?

Sous une forme graphique renouvelée, cette édition du **Bescherelle conjugaison** intègre différentes améliorations et mises à jour ; elle prend en compte, en particulier, les rectifications orthographiques de 1990 (recommandations publiées dans le *Journal officiel* de décembre 1990).

Pour tous les verbes concernés – dans l'index comme dans les tableaux de conjugaison – sont ainsi proposées **les deux orthographes** : celle qui a encore largement cours et l'orthographe révisée. Les deux versions sont séparées par **le signe** / pour marquer l'alternative, l'orthographe révisée apparaissant toujours à droite du « slash ».

L'existence de nouvelles règles est par ailleurs signalée, quand c'est opportun, dans les notes des tableaux de conjugaison et dans la grammaire du verbe.

Cependant, conformément à l'usage dominant, le texte explicatif suit les conventions orthographiques traditionnelles.

> Dans le texte de 1990, **trois recommandations principalement** concernent la conjugaison des verbes :
> – conjugaison des verbes en *-eler* ou *-eter* selon le modèle de *peler* ou *acheter* (exceptions : *appeler*, *jeter* et leurs composés, y compris *interpeler*) ;
> – emploi de l'accent grave, au lieu de l'accent aigu, au futur et au conditionnel des verbes qui se conjuguent comme *céder (je cèderai)* ;
> – invariabilité du participe passé de *laisser* suivi d'un infinitif, à l'image de celui de *faire (elle s'est laissé prendre par le temps)*.
>
> Concernant l'accent circonflexe, attention, il disparaît sur *i* et *u* (*il s'entraine*), mais on le maintient dans les terminaisons verbales du passé simple et du subjonctif imparfait, et en cas d'ambiguïté.

Nous souhaitons que cette nouvelle version poche du **Bescherelle conjugaison**, ainsi révisée et enrichie, demeure l'outil incontournable pour conjuguer au quotidien.

Sommaire

1 Une double page par verbe

Sur la page de gauche, les formes de l'indicatif
et du conditionnel.
Sur la page de droite, celles des autres modes :
le subjonctif, l'impératif et les trois modes impersonnels
(l'infinitif, le participe et le gérondif).

2 Un regroupement des temps simples et composés

Leur regroupement permet
de mettre en évidence
les correspondances
entre les différents temps.

31

assaillir

INDICATIF

PRÉSENT	PASSÉ COMPOSÉ
j'assaille	j'ai assailli
tu assailles	tu as assailli
il assaille	il a assailli
nous assaillons	nous avons assailli
vous assaillez	vous avez assailli
ils assaillent	ils ont assailli

IMPARFAIT	PLUS-QUE-PARFAIT
j'assaillais	j'avais assailli
tu assaillais	tu avais assailli
il assaillait	il avait assailli
nous assaillions	nous avions assailli
vous assailliez	vous aviez assailli
ils assaillaient	ils avaient assailli

PASSÉ SIMPLE	PASSÉ ANTÉRIEUR
j'assaillis	j'eus assailli
tu assaillis	tu eus assailli
il assaillit	il eut assailli
nous assaillîmes	nous eûmes assailli
vous assaillîtes	vous eûtes assailli
ils assaillirent	ils eurent assailli

FUTUR SIMPLE	FUTUR ANTÉRIEUR
j'assaillirai	j'aurai assailli
tu assailliras	tu auras assailli
il assaillira	il aura assailli
nous assaillirons	nous aurons assailli
vous assaillirez	vous aurez assailli
ils assailliront	ils auront assailli

CONDITIONNEL

PRÉSENT	PASSÉ
j'assaillirais	j'aurais assailli
tu assaillirais	tu aurais assailli
il assaillirait	il aurait assailli
nous assaillirions	nous aurions assailli
vous assailliriez	vous auriez assailli
ils assailliraient	ils auraient assailli

70

5 De la couleur pour mémoriser

Sont notés en bleu :
– les 1res personnes du singulier et du pluriel du présent
pour mettre en évidence les changements de radicaux ;
– la 1re personne du singulier pour les autres temps ;
– les difficultés orthographiques particulières.

3 *Que* devant les formes du subjonctif

Cette présentation rappelle que, sans être un élément de morphologie verbale, «que» permet de distinguer les formes, souvent semblables, du subjonctif et de l'indicatif.

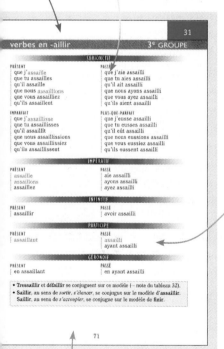

	31
verbes en -aillir	**3ᵉ GROUPE**

SUBJONCTIF

PRÉSENT	PASSÉ
que j'assaille	que j'aie assailli
que tu assailles	que tu aies assailli
qu'il assaille	qu'il ait assailli
que nous assaillions	que nous ayons assailli
que vous assailliez	que vous ayez assailli
qu'ils assaillent	qu'ils aient assailli

IMPARFAIT	PLUS-QUE-PARFAIT
que j'assaillisse	que j'eusse assailli
que tu assaillisses	que tu eusses assailli
qu'il assaillît	qu'il eût assailli
que nous assaillissions	que nous eussions assailli
que vous assaillissiez	que vous eussiez assailli
qu'ils assaillissent	qu'ils eussent assailli

IMPÉRATIF

PRÉSENT	PASSÉ
assaille	aie assailli
assaillons	ayons assailli
assaillez	ayez assailli

INFINITIF

PRÉSENT	PASSÉ
assaillir	avoir assailli

PARTICIPE

PRÉSENT	PASSÉ
assaillant	assailli
	ayant assailli

GÉRONDIF

PRÉSENT	PASSÉ
en assaillant	en ayant assailli

• **Tressaillir** et **défaillir** se conjuguent sur ce modèle (→ note du tableau 32).
• **Saillir**, au sens de *sortir, s'élancer*, se conjugue sur le modèle d'**assaillir**.
  Saillir, au sens de *s'accoupler*, se conjugue sur le modèle de **finir**.

71

4 Participe passé

Les tableaux ne donnant que des éléments de morphologie verbale, le participe est donné au masculin singulier. Pour résoudre les problèmes d'accord, voir la **Liste alphabétique** et la **Grammaire du verbe**.

6 Remarques

S'il y a lieu, des remarques apparaissent dans un encadré bleu au bas de la page de droite. Les caractéristiques de la conjugaison présentée dans le tableau y sont résumées.

9

être

INDICATIF

PRÉSENT
: je suis
tu es
il est
nous sommes
vous êtes
ils sont

PASSÉ COMPOSÉ
: j'ai été
tu as été
il a été
nous avons été
vous avez été
ils ont été

IMPARFAIT
: j'étais
tu étais
il était
nous étions
vous étiez
ils étaient

PLUS-QUE-PARFAIT
: j'avais été
tu avais été
il avait été
nous avions été
vous aviez été
ils avaient été

PASSÉ SIMPLE
: je fus
tu fus
il fut
nous fûmes
vous fûtes
ils furent

PASSÉ ANTÉRIEUR
: j'eus été
tu eus été
il eut été
nous eûmes été
vous eûtes été
ils eurent été

FUTUR SIMPLE
: je serai
tu seras
il sera
nous serons
vous serez
ils seront

FUTUR ANTÉRIEUR
: j'aurai été
tu auras été
il aura été
nous aurons été
vous aurez été
ils auront été

CONDITIONNEL

PRÉSENT
: je serais
tu serais
il serait
nous serions
vous seriez
ils seraient

PASSÉ
: j'aurais été
tu aurais été
il aurait été
nous aurions été
vous auriez été
ils auraient été

verbe auxiliaire

SUBJONCTIF

PRÉSENT
- que je sois
- que tu sois
- qu'il soit
- que nous soyons
- que vous soyez
- qu'ils soient

PASSÉ
- que j'aie été
- que tu aies été
- qu'il ait été
- que nous ayons été
- que vous ayez été
- qu'ils aient été

IMPARFAIT
- que je fusse
- que tu fusses
- qu'il fût
- que nous fussions
- que vous fussiez
- qu'ils fussent

PLUS-QUE-PARFAIT
- que j'eusse été
- que tu eusses été
- qu'il eût été
- que nous eussions été
- que vous eussiez été
- qu'ils eussent été

IMPÉRATIF

PRÉSENT
- sois
- soyons
- soyez

PASSÉ
- aie été
- ayons été
- ayez été

INFINITIF

PRÉSENT
- être

PASSÉ
- avoir été

PARTICIPE

PRÉSENT
- étant

PASSÉ
- été
- ayant été

GÉRONDIF

PRÉSENT
- en étant

PASSÉ
- en ayant été

- **Être** sert d'auxiliaire : 1. pour les temps simples de la voix passive ; 2. pour les temps composés des verbes pronominaux ; 3. à des verbes intransitifs qui, dans la liste (p. 220), sont suivis de la mention *être*.
- Certains verbes se conjuguent tantôt avec **être**, tantôt avec **avoir** : ils sont signalés, dans la liste (p. 220), par *être* ou *avoir* (→ tableau 3).
- Le participe *été* est toujours invariable.

avoir

INDICATIF

PRÉSENT
j'ai
tu as
il a
nous avons
vous avez
ils ont

PASSÉ COMPOSÉ
j'ai eu
tu as eu
il a eu
nous avons eu
vous avez eu
ils ont eu

IMPARFAIT
j'avais
tu avais
il avait
nous avions
vous aviez
ils avaient

PLUS-QUE-PARFAIT
j'avais eu
tu avais eu
il avait eu
nous avions eu
vous aviez eu
ils avaient eu

PASSÉ SIMPLE
j'eus
tu eus
il eut
nous eûmes
vous eûtes
ils eurent

PASSÉ ANTÉRIEUR
j'eus eu
tu eus eu
il eut eu
nous eûmes eu
vous eûtes eu
ils eurent eu

FUTUR SIMPLE
j'aurai
tu auras
il aura
nous aurons
vous aurez
ils auront

FUTUR ANTÉRIEUR
j'aurai eu
tu auras eu
il aura eu
nous aurons eu
vous aurez eu
ils auront eu

CONDITIONNEL

PRÉSENT
j'aurais
tu aurais
il aurait
nous aurions
vous auriez
ils auraient

PASSÉ
j'aurais eu
tu aurais eu
il aurait eu
nous aurions eu
vous auriez eu
ils auraient eu

SUBJONCTIF

PRÉSENT
que j'aie
que tu aies
qu'il ait
que nous ayons
que vous ayez
qu'ils aient

PASSÉ
que j'aie eu
que tu aies eu
qu'il ait eu
que nous ayons eu
que vous ayez eu
qu'ils aient eu

IMPARFAIT
que j'eusse
que tu eusses
qu'il eût
que nous eussions
que vous eussiez
qu'ils eussent

PLUS-QUE-PARFAIT
que j'eusse eu
que tu eusses eu
qu'il eût eu
que nous eussions eu
que vous eussiez eu
qu'ils eussent eu

IMPÉRATIF

PRÉSENT
aie
ayons
ayez

PASSÉ
aie eu
ayons eu
ayez eu

INFINITIF

PRÉSENT
avoir

PASSÉ
avoir eu

PARTICIPE

PRÉSENT
ayant

PASSÉ
eu
ayant eu

GÉRONDIF

PRÉSENT
en ayant

PASSÉ
en ayant eu

- **Avoir** est un verbe ordinaire quand il a un complément d'objet direct : *J'ai un beau livre.*
- Il sert d'auxiliaire pour les temps composés de tous les verbes transitifs et d'un grand nombre de verbes intransitifs.

Pour former les temps composés des verbes, on recourt aux verbes *avoir* et *être*. Ceux-ci sont alors employés comme auxiliaires (→ Grammaire § 92, p. 189).

La plupart des verbes utilisent un seul auxiliaire : *avoir* ou *être*. Cependant, il existe quelques verbes qui utilisent alternativement les deux auxiliaires.

A L'auxiliaire *avoir*

▶ La **plupart des verbes** se conjuguent avec l'auxiliaire *avoir*. C'est le cas, entre autres, de tous les verbes transitifs.

J'ai réservé une table au restaurant.

Tu aurais eu la même impression !

Elle nous avait rassurés.

B L'auxiliaire *être*

▶ Tous les **verbes pronominaux** se conjuguent avec l'auxiliaire *être* aux temps composés (→ tableau 5).

Elle s'est méfiée tout de suite.

Ils ne s'étaient pas vus depuis des mois.

▶ Quelques **verbes intransitifs** utilisent également l'auxiliaire *être* : *aller, arriver* ; *demeurer* (au sens de « continuer à être ») ; *décéder, mourir, naître* ; *partir, repartir* ; *tomber, retomber* ; *venir* et ses composés : *advenir, devenir, intervenir, parvenir, provenir, revenir, survenir.*

Je suis arrivé par le train de 8 heures.

Elle est décédée brusquement.

Tu es intervenu au bon moment.

Ces verbes portent la mention *être* dans la liste alphabétique à la fin de cet ouvrage.

C L'un ou l'autre auxiliaire

▶ Certains verbes peuvent s'employer, selon le cas, de façon intransitive ou transitive (sans ou avec un complément d'objet). Ils utilisent l'auxiliaire ***être* quand ils sont intransitifs** *(Il est* *sorti à 17 heures.)*, l'auxiliaire ***avoir* quand ils sont transitifs** *(Elle a sorti les valises.).*

En voici la liste : *descendre, redescendre ; monter, remonter ; entrer, rentrer ; sortir, ressortir* (au sens de « sortir à nouveau ») ; *retourner.*

REM. On trouve parfois *descendre, redescendre, monter, remonter* avec l'auxiliaire *avoir* dans des phrases où ils n'ont pas de COD.

Les prix ont monté hier.

▶ Les verbes suivants peuvent tous s'employer avec *avoir.*

Mais, **dans le cas d'un emploi intransitif**, ils s'utilisent :

– habituellement avec *être*, mais parfois avec *avoir* : *accourir, (ré)apparaître, passer, ressusciter* ;

– habituellement avec *avoir*, mais parfois avec *être* : *convenir de, déménager, disparaître, échapper* (au sens de *être dit* ou *fait par mégarde*), *éclore, paraître, reparaître, résulter, surgir* ;

– au choix avec *avoir* ou *être* : *disconvenir, repasser, trépasser.*

L'ensemble des verbes cités dans ce paragraphe **C** portent la mention *être* ou *avoir* dans la liste alphabétique à la fin de cet ouvrage.

D L'emploi adjectival avec *être*

▶ Certains verbes qui s'utilisent avec *avoir* à un temps composé sont susceptibles d'être employés parfois comme des adjectifs avec *être.*

Elle a bien changé en deux ans.   *Elle est bien changée aujourd'hui.*
passé composé du verbe *changer*   emploi adjectival (indicatif présent)

Le premier exemple montre l'action à un temps composé ; le second la présente comme accomplie. Il ne s'agit plus alors d'un temps composé, mais d'un **emploi adjectival au présent avec *être*.**

▶ Les verbes susceptibles de tels emplois sont notamment : *aborder, accoucher, accroître, augmenter, avorter, baisser, changer, croupir, déborder, déchoir, dégénérer, diminuer, divorcer, embellir, empirer, enlaidir, expirer, faillir, grandir, sonner, vieillir…*

être aimé

INDICATIF

PRÉSENT
: je suis aimé
tu es aimé
il est aimé
nous sommes aimés
vous êtes aimés
ils sont aimés

PASSÉ COMPOSÉ
: j'ai été aimé
tu as été aimé
il a été aimé
nous avons été aimés
vous avez été aimés
ils ont été aimés

IMPARFAIT
: j'étais aimé
tu étais aimé
il était aimé
nous étions aimés
vous étiez aimés
ils étaient aimés

PLUS-QUE-PARFAIT
: j'avais été aimé
tu avais été aimé
il avait été aimé
nous avions été aimés
vous aviez été aimés
ils avaient été aimés

PASSÉ SIMPLE
: je fus aimé
tu fus aimé
il fut aimé
nous fûmes aimés
vous fûtes aimés
ils furent aimés

PASSÉ ANTÉRIEUR
: j'eus été aimé
tu eus été aimé
il eut été aimé
nous eûmes été aimés
vous eûtes été aimés
ils eurent été aimés

FUTUR SIMPLE
: je serai aimé
tu seras aimé
il sera aimé
nous serons aimés
vous serez aimés
ils seront aimés

FUTUR ANTÉRIEUR
: j'aurai été aimé
tu auras été aimé
il aura été aimé
nous aurons été aimés
vous aurez été aimés
ils auront été aimés

CONDITIONNEL

PRÉSENT
: je serais aimé
tu serais aimé
il serait aimé
nous serions aimés
vous seriez aimés
ils seraient aimés

PASSÉ
: j'aurais été aimé
tu aurais été aimé
il aurait été aimé
nous aurions été aimés
vous auriez été aimés
ils auraient été aimés

conjugaison type de la voix passive

SUBJONCTIF

PRÉSENT
: que je sois aimé
: que tu sois aimé
: qu'il soit aimé
: que nous soyons aimés
: que vous soyez aimés
: qu'ils soient aimés

PASSÉ
: que j'aie été aimé
: que tu aies été aimé
: qu'il ait été aimé
: que nous ayons été aimés
: que vous ayez été aimés
: qu'ils aient été aimés

IMPARFAIT
: que je fusse aimé
: que tu fusses aimé
: qu'il fût aimé
: que nous fussions aimés
: que vous fussiez aimés
: qu'ils fussent aimés

PLUS-QUE-PARFAIT
: que j'eusse été aimé
: que tu eusses été aimé
: qu'il eût été aimé
: que nous eussions été aimés
: que vous eussiez été aimés
: qu'ils eussent été aimés

IMPÉRATIF

PRÉSENT
: sois aimé
: soyons aimés
: soyez aimés

PASSÉ

INFINITIF

PRÉSENT
: être aimé

PASSÉ
: avoir été aimé

PARTICIPE

PRÉSENT
: étant aimé

PASSÉ
: aimé
: ayant été aimé

GÉRONDIF

PRÉSENT
: en étant aimé

PASSÉ
: en ayant été aimé

• Le participe passé du verbe à la forme passive s'accorde toujours avec le sujet : *Elle est aimée.*

INDICATIF

PRÉSENT
: je me méfie
tu te méfies
il se méfie
nous nous méfions
vous vous méfiez
ils se méfient

PASSÉ COMPOSÉ
: je me suis méfié
tu t'es méfié
il s'est méfié
nous nous sommes méfiés
vous vous êtes méfiés
ils se sont méfiés

IMPARFAIT
: je me méfiais
tu te méfiais
il se méfiait
nous nous méfiions
vous vous méfiiez
ils se méfiaient

PLUS-QUE-PARFAIT
: je m'étais méfié
tu t'étais méfié
il s'était méfié
nous nous étions méfiés
vous vous étiez méfiés
ils s'étaient méfiés

PASSÉ SIMPLE
: je me méfiai
tu te méfias
il se méfia
nous nous méfiâmes
vous vous méfiâtes
ils se méfièrent

PASSÉ ANTÉRIEUR
: je me fus méfié
tu te fus méfié
il se fut méfié
nous nous fûmes méfiés
vous vous fûtes méfiés
ils se furent méfiés

FUTUR SIMPLE
: je me méfierai
tu te méfieras
il se méfiera
nous nous méfierons
vous vous méfierez
ils se méfieront

FUTUR ANTÉRIEUR
: je me serai méfié
tu te seras méfié
il se sera méfié
nous nous serons méfiés
vous vous serez méfiés
ils se seront méfiés

CONDITIONNEL

PRÉSENT
: je me méfierais
tu te méfierais
il se méfierait
nous nous méfierions
vous vous méfieriez
ils se méfieraient

PASSÉ
: je me serais méfié
tu te serais méfié
il se serait méfié
nous nous serions méfiés
vous vous seriez méfiés
ils se seraient méfiés

SUBJONCTIF

PRÉSENT
que je me méfie
que tu te méfies
qu'il se méfie
que nous nous méfiions
que vous vous méfiiez
qu'ils se méfient

PASSÉ
que je me sois méfié
que tu te sois méfié
qu'il se soit méfié
que nous nous soyons méfiés
que vous vous soyez méfiés
qu'ils se soient méfiés

IMPARFAIT
que je me méfiasse
que tu te méfiasses
qu'il se méfiât
que nous nous méfiassions
que vous vous méfiassiez
qu'ils se méfiassent

PLUS-QUE-PARFAIT
que je me fusse méfié
que tu te fusses méfié
qu'il se fût méfié
que nous nous fussions méfiés
que vous vous fussiez méfiés
qu'ils se fussent méfiés

IMPÉRATIF

PRÉSENT
méfie-toi
méfions-nous
méfiez-vous

PASSÉ

INFINITIF

PRÉSENT
se méfier

PASSÉ
s'être méfié

PARTICIPE

PRÉSENT
se méfiant

PASSÉ
s'étant méfié

GÉRONDIF

PRÉSENT
en se méfiant

PASSÉ
en s'étant méfié

- Dans la liste des verbes qui figure à la fin de l'ouvrage, les verbes pronominaux sont suivis de la lettre *P*.
- Un petit nombre de ces verbes ont un participe passé invariable *(ils se sont nui)*. Ils sont signalés par : *p.p. invariable*.
- Les verbes pronominaux de sens réciproque ne s'emploient qu'au pluriel *(ils se disputèrent au lieu de s'entraider)*.

Les affixes des trois groupes de verbes

A Qu'est-ce qu'un affixe ?

Toute forme verbale peut se décomposer en **un radical** (en noir) et **des affixes** (en couleur).

À partir de verbes modèles, le tableau suivant présente, pour chaque groupe de verbes, l'ensemble des affixes qui apparaissent dans la conjugaison.

- Certains affixes n'apparaissent jamais en position finale et indiquent **le temps** auquel est conjugué le verbe (-ai, pour l'imparfait, -r- pour le futur…).
- D'autres affixes apparaissent en position finale : ils indiquent la personne, le nombre du verbe (-ons pour la première personne du pluriel…), et parfois même le temps.

B Tableau récapitulatif

INDICATIF					
1er groupe	2e groupe	3e groupe			
PRÉSENT					
aim-e	fini-s	par-s	met-s	veu-x	ouvr-e
aim-es	fini-s	par-s	met-s	veu-x	ouvr-es
aim-e	fini-t	par-t	met	veu-t	ouvr-e
aim-ons	fini-ss-ons	part-ons	mett-ons	voul-ons	ouvr-ons
aim-ez	fini-ss-ez	part-ez	mett-ez	voul-ez	ouvr-ez
aim-ent	fini-ss-ent	part-ent	mett-ent	veul-ent	ouvr-ent
IMPARFAIT					
aim-ai-s	fini-ss-ai-s	part-ai-s			
aim-ai-s	fini-ss-ai-s	part-ai-s			
aim-ai-t	fini-ss-ai-t	part-ai-t			
aim-i-ons	fini-ss-i-ons	part-i-ons			
aim-i-ez	fini-ss-i-ez	part-i-ez			
aim-ai-ent	fini-ss-ai-ent	part-ai-ent			
PASSÉ SIMPLE					
aim-ai	fin-is	part-is	voul-us	t-ins	
aim-as	fin-is	part-is	voul-us	t-ins	
aim-a	fin-it	part-it	voul-ut	t-int	
aim-âmes	fin-îmes	part-îmes	voul-ûmes	t-înmes	
aim-âtes	fin-îtes	part-îtes	voul-ûtes	t-întes	
aim-èrent	fin-irent	part-irent	voul-urent	t-inrent	
FUTUR SIMPLE					
aim-er-ai	fini-r-ai	parti-r-ai			
aim-er-as	fini-r-as	parti-r-as			
aim-er-a	fini-r-a	parti-r-a			
aim-er-ons	fini-r-ons	parti-r-ons			
aim-er-ez	fini-r-ez	parti-r-ez			
aim-er-ont	fini-r-ont	parti-r-ont			

CONDITIONNEL

1er groupe	2e groupe	3e groupe

PRÉSENT

aim-er-ai-s	fini-r-ai-s	parti-r-ai-s
aim-er-ai-s	fini-r-ai-s	parti-r-ai-s
aim-er-ai-t	fini-r-ai-t	parti-r-ai-t
aim-er-i-ons	fini-r-i-ons	parti-r-i-ons
aim-er-i-ez	fini-r-i-ez	parti-r-i-ez
aim-er-ai-ent	fini-r-ai-ent	parti-r-ai-ent

SUBJONCTIF

1er groupe	2e groupe	3e groupe

PRÉSENT

aim-e	fini-ss-e	part-e
aim-es	fini-ss-es	part-es
aim-e	fini-ss-e	part-e
aim-i-ons	fini-ss-i-ons	part-i-ons
aim-i-ez	fini-ss-i-ez	part-i-ez
aim-ent	fini-ss-ent	part-ent

IMPARFAIT

aim-a-ss-e	fini-ss-e	part-i-ss-e	t-in-ss-e	voul-u-ss-e
aim-a-ss-es	fini-ss-es	part-i-ss-es	t-in-ss-es	voul-u-ss-es
aim-â-t	finî-t	part-î-t	t-în-t	voul-ût
aim-a-ss-i-ons	fini-ss-i-ons	part-i-ss-i-ons	t-in-ss-i-ons	voul-u-ss-i-ons
aim-a-ss-i-ez	fini-ss-i-ez	part-i-ss-iez	t-in-ss-i-ez	voul-u-ss-i-ez
aim-a-ss-ent	fini-ss-ent	part-i-ss-ent	t-in-ss-ent	voul-u-ss-ent

IMPÉRATIF

1er groupe	2e groupe	3e groupe

PRÉSENT

aim-e	fini-s	par-s	ouvr-e
aim-ons	fini-ss-ons	part-ons	ouvr-ons
aim-ez	fini-ss-ez	part-ez	ouvr-ez

PARTICIPE

1er groupe	2e groupe	3e groupe

PRÉSENT

aim-ant	fini-ss-ant	part-ant

PASSÉ

aim-é	fin-i	part-i	ten-u	pri-s	écri-t
				clo-s	ouver-t
				absou-s	mor-t

INFINITIF

1er groupe	2e groupe	3e groupe

PRÉSENT

aim-e-r	fin-i-r	part-i-r	voul-oi-r	croi-r-e

INDICATIF

PRÉSENT
: j'aime
: tu aimes
: il aime
: nous aimons
: vous aimez
: ils aiment

IMPARFAIT
: j'aimais
: tu aimais
: il aimait
: nous aimions
: vous aimiez
: ils aimaient

PASSÉ SIMPLE
: j'aimai
: tu aimas
: il aima
: nous aimâmes
: vous aimâtes
: ils aimèrent

FUTUR SIMPLE
: j'aimerai
: tu aimeras
: il aimera
: nous aimerons
: vous aimerez
: ils aimeront

PASSÉ COMPOSÉ
: j'ai aimé
: tu as aimé
: il a aimé
: nous avons aimé
: vous avez aimé
: ils ont aimé

PLUS-QUE-PARFAIT
: j'avais aimé
: tu avais aimé
: il avait aimé
: nous avions aimé
: vous aviez aimé
: ils avaient aimé

PASSÉ ANTÉRIEUR
: j'eus aimé
: tu eus aimé
: il eut aimé
: nous eûmes aimé
: vous eûtes aimé
: ils eurent aimé

FUTUR ANTÉRIEUR
: j'aurai aimé
: tu auras aimé
: il aura aimé
: nous aurons aimé
: vous aurez aimé
: ils auront aimé

CONDITIONNEL

PRÉSENT
: j'aimerais
: tu aimerais
: il aimerait
: nous aimerions
: vous aimeriez
: ils aimeraient

PASSÉ
: j'aurais aimé
: tu aurais aimé
: il aurait aimé
: nous aurions aimé
: vous auriez aimé
: ils auraient aimé

SUBJONCTIF

PRÉSENT
: que j'aime
: que tu aimes
: qu'il aime
: que nous aimions
: que vous aimiez
: qu'ils aiment

PASSÉ
: que j'aie aimé
: que tu aies aimé
: qu'il ait aimé
: que nous ayons aimé
: que vous ayez aimé
: qu'ils aient aimé

IMPARFAIT
: que j'aimasse
: que tu aimasses
: qu'il aimât
: que nous aimassions
: que vous aimassiez
: qu'ils aimassent

PLUS-QUE-PARFAIT
: que j'eusse aimé
: que tu eusses aimé
: qu'il eût aimé
: que nous eussions aimé
: que vous eussiez aimé
: qu'ils eussent aimé

IMPÉRATIF

PRÉSENT
: aime
: aimons
: aimez

PASSÉ
: aie aimé
: ayons aimé
: ayez aimé

INFINITIF

PRÉSENT
: aimer

PASSÉ
: avoir aimé

PARTICIPE

PRÉSENT
: aimant

PASSÉ
: aimé
: ayant aimé

GÉRONDIF

PRÉSENT
: en aimant

PASSÉ
: en ayant aimé

• Pour les verbes qui forment leurs temps composés avec l'auxiliaire **être**,
voir la conjugaison du verbe **aller** (→ tableau 24) ou celle du verbe **mourir**
(→ tableau 36).

placer

INDICATIF

PRÉSENT
: je place
tu places
il place
nous plaçons
vous placez
ils placent

PASSÉ COMPOSÉ
: j'ai placé
tu as placé
il a placé
nous avons placé
vous avez placé
ils ont placé

IMPARFAIT
: je plaçais
tu plaçais
il plaçait
nous placions
vous placiez
ils plaçaient

PLUS-QUE-PARFAIT
: j'avais placé
tu avais placé
il avait placé
nous avions placé
vous aviez placé
ils avaient placé

PASSÉ SIMPLE
: je plaçai
tu plaças
il plaça
nous plaçâmes
vous plaçâtes
ils placèrent

PASSÉ ANTÉRIEUR
: j'eus placé
tu eus placé
il eut placé
nous eûmes placé
vous eûtes placé
ils eurent placé

FUTUR SIMPLE
: je placerai
tu placeras
il placera
nous placerons
vous placerez
ils placeront

FUTUR ANTÉRIEUR
: j'aurai placé
tu auras placé
il aura placé
nous aurons placé
vous aurez placé
ils auront placé

CONDITIONNEL

PRÉSENT
: je placerais
tu placerais
il placerait
nous placerions
vous placeriez
ils placeraient

PASSÉ
: j'aurais placé
tu aurais placé
il aurait placé
nous aurions placé
vous auriez placé
ils auraient placé

SUBJONCTIF

PRÉSENT
- que je place
- que tu places
- qu'il place
- que nous placions
- que vous placiez
- qu'ils placent

PASSÉ
- que j'aie placé
- que tu aies placé
- qu'il ait placé
- que nous ayons placé
- que vous ayez placé
- qu'ils aient placé

IMPARFAIT
- que je plaçasse
- que tu plaçasses
- qu'il plaçât
- que nous plaçassions
- que vous plaçassiez
- qu'ils plaçassent

PLUS-QUE-PARFAIT
- que j'eusse placé
- que tu eusses placé
- qu'il eût placé
- que nous eussions placé
- que vous eussiez placé
- qu'ils eussent placé

IMPÉRATIF

PRÉSENT
- place
- plaçons
- placez

PASSÉ
- aie placé
- ayons placé
- ayez placé

INFINITIF

PRÉSENT
- placer

PASSÉ
- avoir placé

PARTICIPE

PRÉSENT
- plaçant

PASSÉ
- placé
- ayant placé

GÉRONDIF

PRÉSENT
- en plaçant

PASSÉ
- en ayant placé

- Les verbes en **-cer** prennent une cédille sous le **c** devant les voyelles **a** et **o** : *commençons*, *tu commenças*, pour conserver le **c** le son [s].
- Pour les verbes en **-écer**, voir aussi tableau 11.

manger

INDICATIF

PRÉSENT
: je mange
: tu manges
: il mange
: nous mangeons
: vous mangez
: ils mangent

PASSÉ COMPOSÉ
: j'ai mangé
: tu as mangé
: il a mangé
: nous avons mangé
: vous avez mangé
: ils ont mangé

IMPARFAIT
: je mangeais
: tu mangeais
: il mangeait
: nous mangions
: vous mangiez
: ils mangeaient

PLUS-QUE-PARFAIT
: j'avais mangé
: tu avais mangé
: il avait mangé
: nous avions mangé
: vous aviez mangé
: ils avaient mangé

PASSÉ SIMPLE
: je mangeai
: tu mangeas
: il mangea
: nous mangeâmes
: vous mangeâtes
: ils mangèrent

PASSÉ ANTÉRIEUR
: j'eus mangé
: tu eus mangé
: il eut mangé
: nous eûmes mangé
: vous eûtes mangé
: ils eurent mangé

FUTUR SIMPLE
: je mangerai
: tu mangeras
: il mangera
: nous mangerons
: vous mangerez
: ils mangeront

FUTUR ANTÉRIEUR
: j'aurai mangé
: tu auras mangé
: il aura mangé
: nous aurons mangé
: vous aurez mangé
: ils auront mangé

CONDITIONNEL

PRÉSENT
: je mangerais
: tu mangerais
: il mangerait
: nous mangerions
: vous mangeriez
: ils mangeraient

PASSÉ
: j'aurais mangé
: tu aurais mangé
: il aurait mangé
: nous aurions mangé
: vous auriez mangé
: ils auraient mangé

SUBJONCTIF

PRÉSENT
: que je mange
: que tu manges
: qu'il mange
: que nous mangions
: que vous mangiez
: qu'ils mangent

PASSÉ
: que j'aie mangé
: que tu aies mangé
: qu'il ait mangé
: que nous ayons mangé
: que vous ayez mangé
: qu'ils aient mangé

IMPARFAIT
: que je mangeasse
: que tu mangeasses
: qu'il mangeât
: que nous mangeassions
: que vous mangeassiez
: qu'ils mangeassent

PLUS-QUE-PARFAIT
: que j'eusse mangé
: que tu eusses mangé
: qu'il eût mangé
: que nous eussions mangé
: que vous eussiez mangé
: qu'ils eussent mangé

IMPÉRATIF

PRÉSENT
: mange
: mangeons
: mangez

PASSÉ
: aie mangé
: ayons mangé
: ayez mangé

INFINITIF

PRÉSENT
: manger

PASSÉ
: avoir mangé

PARTICIPE

PRÉSENT
: mangeant

PASSÉ
: mangé
: ayant mangé

GÉRONDIF

PRÉSENT
: en mangeant

PASSÉ
: en ayant mangé

• Les verbes en **-ger** conservent le **e** après le **g** devant les voyelles **a** et **o** :
nous jugeons, *tu jugeas*, pour maintenir partout le son [ʒ]. (Bien entendu,
les verbes en **-guer** conservent le **u** à toutes les formes.)

peser

INDICATIF

PRÉSENT
: je pèse
tu pèses
il pèse
nous pesons
vous pesez
ils pèsent

PASSÉ COMPOSÉ
: j'ai pesé
tu as pesé
il a pesé
nous avons pesé
vous avez pesé
ils ont pesé

IMPARFAIT
: je pesais
tu pesais
il pesait
nous pesions
vous pesiez
ils pesaient

PLUS-QUE-PARFAIT
: j'avais pesé
tu avais pesé
il avait pesé
nous avions pesé
vous aviez pesé
ils avaient pesé

PASSÉ SIMPLE
: je pesai
tu pesas
il pesa
nous pesâmes
vous pesâtes
ils pesèrent

PASSÉ ANTÉRIEUR
: j'eus pesé
tu eus pesé
il eut pesé
nous eûmes pesé
vous eûtes pesé
ils eurent pesé

FUTUR SIMPLE
: je pèserai
tu pèseras
il pèsera
nous pèserons
vous pèserez
ils pèseront

FUTUR ANTÉRIEUR
: j'aurai pesé
tu auras pesé
il aura pesé
nous aurons pesé
vous aurez pesé
ils auront pesé

CONDITIONNEL

PRÉSENT
: je pèserais
tu pèserais
il pèserait
nous pèserions
vous pèseriez
ils pèseraient

PASSÉ
: j'aurais pesé
tu aurais pesé
il aurait pesé
nous aurions pesé
vous auriez pesé
ils auraient pesé

verbes en e(.)er

SUBJONCTIF

PRÉSENT
: que je pèse
: que tu pèses
: qu'il pèse
: que nous pesions
: que vous pesiez
: qu'ils pèsent

PASSÉ
: que j'aie pesé
: que tu aies pesé
: qu'il ait pesé
: que nous ayons pesé
: que vous ayez pesé
: qu'ils aient pesé

IMPARFAIT
: que je pesasse
: que tu pesasses
: qu'il pesât
: que nous pesassions
: que vous pesassiez
: qu'ils pesassent

PLUS-QUE-PARFAIT
: que j'eusse pesé
: que tu eusses pesé
: qu'il eût pesé
: que nous eussions pesé
: que vous eussiez pesé
: qu'ils eussent pesé

IMPÉRATIF

PRÉSENT
: pèse
: pesons
: pesez

PASSÉ
: aie pesé
: ayons pesé
: ayez pesé

INFINITIF

PRÉSENT
: peser

PASSÉ
: avoir pesé

PARTICIPE

PRÉSENT
: pesant

PASSÉ
: pesé
: ayant pesé

GÉRONDIF

PRÉSENT
: en pesant

PASSÉ
: en ayant pesé

- Il s'agit de verbes en **-ecer**, **-emer**, **-ener**, **-eper**, **-erer**, **-ever**, **-evrer**. Ces verbes qui ont un **e** muet à l'avant-dernière syllabe de l'infinitif, comme **lever**, changent le **e** muet en **è** ouvert devant une syllabe muette, y compris devant les terminaisons *-erai...*, *-erais...* du futur et du conditionnel : *je lève, je lèverai, je lèverais*.
- Pour les verbes en **-eler** et **-eter**, voir tableaux 13, 14 et 15.

céder

INDICATIF

PRÉSENT
je cède
tu cèdes
il cède
nous cédons
vous cédez
ils cèdent

PASSÉ COMPOSÉ
j'ai cédé
tu as cédé
il a cédé
nous avons cédé
vous avez cédé
ils ont cédé

IMPARFAIT
je cédais
tu cédais
il cédait
nous cédions
vous cédiez
ils cédaient

PLUS-QUE-PARFAIT
j'avais cédé
tu avais cédé
il avait cédé
nous avions cédé
vous aviez cédé
ils avaient cédé

PASSÉ SIMPLE
je cédai
tu cédas
il céda
nous cédâmes
vous cédâtes
ils cédèrent

PASSÉ ANTÉRIEUR
j'eus cédé
tu eus cédé
il eut cédé
nous eûmes cédé
vous eûtes cédé
ils eurent cédé

FUTUR SIMPLE
je céderai / cèderai
tu céderas / cèderas
il cédera / cèdera
nous céderons / cèderons
vous céderez / cèderez
ils céderont / cèderont

FUTUR ANTÉRIEUR
j'aurai cédé
tu auras cédé
il aura cédé
nous aurons cédé
vous aurez cédé
ils auront cédé

CONDITIONNEL

PRÉSENT
je céderais / cèderais
tu céderais /cèderais
il céderait / cèderait
nous céderions / cèderions
vous céderiez / cèderiez
il céderaient / cèderaient

PASSÉ
j'aurais cédé
tu aurais cédé
il aurait cédé
nous aurions cédé
vous auriez cédé
ils auraient cédé

SUBJONCTIF

PRÉSENT
: que je cède
: que tu cèdes
: qu'il cède
: que nous cédions
: que vous cédiez
: qu'ils cèdent

PASSÉ
: que j'aie cédé
: que tu aies cédé
: qu'il ait cédé
: que nous ayons cédé
: que vous ayez cédé
: qu'ils aient cédé

IMPARFAIT
: que je cédasse
: que tu cédasses
: qu'il cédât
: que nous cédassions
: que vous cédassiez
: qu'ils cédassent

PLUS-QUE-PARFAIT
: que j'eusse cédé
: que tu eusses cédé
: qu'il eût cédé
: que nous eussions cédé
: que vous eussiez cédé
: qu'ils eussent cédé

IMPÉRATIF

PRÉSENT
: cède
: cédons
: cédez

PASSÉ
: aie cédé
: ayons cédé
: ayez cédé

INFINITIF

PRÉSENT
: céder

PASSÉ
: avoir cédé

PARTICIPE

PRÉSENT
: cédant

PASSÉ
: cédé
: ayant cédé

GÉRONDIF

PRÉSENT
: en cédant

PASSÉ
: en ayant cédé

• Il s'agit des verbes en **-ébrer**, **-écer**, **-écher**, **-écrer**, **-éder**, **-égler**, **-égner**, **-égrer**, **-éguer**, **-éler**, **-émer**, **-éner**, **-éper**, **-équer**, **-érer**, **-éser**, **-éter**, **-étrer**, **-évrer**, **-éyer**, etc. Ces verbes, qui ont un **é fermé** à l'avant-dernière syllabe de l'infinitif, changent le **é fermé** en **è ouvert** devant une syllabe muette finale : *je cède*. Au futur et au conditionnel, ils conservent le **é fermé**. Cependant, depuis les rectifications orthographiques de 1990, on peut aussi écrire ces formes avec un **è ouvert**.

assiéger

INDICATIF

PRÉSENT
j'assiège
tu assièges
il assiège
nous assiégeons
vous assiégez
ils assiègent

PASSÉ COMPOSÉ
j'ai assiégé
tu as assiégé
il a assiégé
nous avons assiégé
vous avez assiégé
ils ont assiégé

IMPARFAIT
j'assiégeais
tu assiégeais
il assiégeait
nous assiégions
vous assiégiez
ils assiégeaient

PLUS-QUE-PARFAIT
j'avais assiégé
tu avais assiégé
il avait assiégé
nous avions assiégé
vous aviez assiégé
ils avaient assiégé

PASSÉ SIMPLE
j'assiégeai
tu assiégeas
il assiégea
nous assiégeâmes
vous assiégeâtes
ils assiégèrent

PASSÉ ANTÉRIEUR
j'eus assiégé
tu eus assiégé
il eut assiégé
nous eûmes assiégé
vous eûtes assiégé
ils eurent assiégé

FUTUR SIMPLE
j'assiégerai / assiègerai
tu assiégeras / assiègeras
il assiégera / assiègera
nous assiégerons / assiègerons
vous assiégerez / assiègerez
ils assiégeront / assiègeront

FUTUR ANTÉRIEUR
j'aurai assiégé
tu auras assiégé
il aura assiégé
nous aurons assiégé
vous aurez assiégé
ils auront assiégé

CONDITIONNEL

PRÉSENT
j'assiégerais / assiègerais
tu assiégerais / assiègerais
il assiégerait / assiègerait
nous assiégerions / assiègerions
vous assiégeriez / assiègeriez
ils assiégeraient / assiègeraient

PASSÉ
j'aurais assiégé
tu aurais assiégé
il aurait assiégé
nous aurions assiégé
vous auriez assiégé
ils auraient assiégé

verbes en -éger

SUBJONCTIF

PRÉSENT
: que j'assiège
: que tu assièges
: qu'il assiège
: que nous assiégions
: que vous assiégiez
: qu'ils assiègent

PASSÉ
: que j'aie assiégé
: que tu aies assiégé
: qu'il ait assiégé
: que nous ayons assiégé
: que vous ayez assiégé
: qu'ils aient assiégé

IMPARFAIT
: que j'assiégeasse
: que tu assiégeasses
: qu'il assiégeât
: que nous assiégeassions
: que vous assiégeassiez
: qu'ils assiégeassent

PLUS-QUE-PARFAIT
: que j'eusse assiégé
: que tu eusses assiégé
: qu'il eût assiégé
: que nous eussions assiégé
: que vous eussiez assiégé
: qu'ils eussent assiégé

IMPÉRATIF

PRÉSENT
: assiège
: assiégeons
: assiégez

PASSÉ
: aie assiégé
: ayons assiégé
: ayez assiégé

INFINITIF

PRÉSENT
: assiéger

PASSÉ
: avoir assiégé

PARTICIPE

PRÉSENT
: assiégeant

PASSÉ
: assiégé
: ayant assiégé

GÉRONDIF

PRÉSENT
: en assiégeant

PASSÉ
: en ayant assiégé

- Dans les verbes en **-éger** : le **é** se change en **è** devant **e muet** ;
  pour conserver partout le son [ʒ], on maintient le **e** après le **g** devant
  les voyelles **a** et **o**.
- Depuis les rectifications orthographiques de 1990, on peut écrire
  les formes du futur et du conditionnel présent avec un **é fermé**
  (ancienne orthographe) ou un **è ouvert** (nouvelle orthographe).

peler

INDICATIF

PRÉSENT
: je pèle
: tu pèles
: il pèle
: nous pelons
: vous pelez
: ils pèlent

PASSÉ COMPOSÉ
: j'ai pelé
: tu as pelé
: il a pelé
: nous avons pelé
: vous avez pelé
: ils ont pelé

IMPARFAIT
: je pelais
: tu pelais
: il pelait
: nous pelions
: vous peliez
: ils pelaient

PLUS-QUE-PARFAIT
: j'avais pelé
: tu avais pelé
: il avait pelé
: nous avions pelé
: vous aviez pelé
: ils avaient pelé

PASSÉ SIMPLE
: je pelai
: tu pelas
: il pela
: nous pelâmes
: vous pelâtes
: ils pelèrent

PASSÉ ANTÉRIEUR
: j'eus pelé
: tu eus pelé
: il eut pelé
: nous eûmes pelé
: vous eûtes pelé
: ils eurent pelé

FUTUR SIMPLE
: je pèlerai
: tu pèleras
: il pèlera
: nous pèlerons
: vous pèlerez
: ils pèleront

FUTUR ANTÉRIEUR
: j'aurai pelé
: tu auras pelé
: il aura pelé
: nous aurons pelé
: vous aurez pelé
: ils auront pelé

CONDITIONNEL

PRÉSENT
: je pèlerais
: tu pèlerais
: il pèlerait
: nous pèlerions
: vous pèleriez
: ils pèleraient

PASSÉ
: j'aurais pelé
: tu aurais pelé
: il aurait pelé
: nous aurions pelé
: vous auriez pelé
: ils auraient pelé

verbes en -eler ou -eter   1ᵉʳ GROUPE

SUBJONCTIF

PRÉSENT
: que je pèle
: que tu pèles
: qu'il pèle
: que nous pelions
: que vous peliez
: qu'ils pèlent

PASSÉ
: que j'aie pelé
: que tu aies pelé
: qu'il ait pelé
: que nous ayons pelé
: que vous ayez pelé
: qu'ils aient pelé

IMPARFAIT
: que je pelasse
: que tu pelasses
: qu'il pelât
: que nous pelassions
: que vous pelassiez
: qu'ils pelassent

PLUS-QUE-PARFAIT
: que j'eusse pelé
: que tu eusses pelé
: qu'il eût pelé
: que nous eussions pelé
: que vous eussiez pelé
: qu'ils eussent pelé

IMPÉRATIF

PRÉSENT
: pèle
: pelons
: pelez

PASSÉ
: aie pelé
: ayons pelé
: ayez pelé

INFINITIF

PRÉSENT
: peler

PASSÉ
: avoir pelé

PARTICIPE

PRÉSENT
: pelant

PASSÉ
: pelé
: ayant pelé

GÉRONDIF

PRÉSENT
: en pelant

PASSÉ
: en ayant pelé

• Depuis les rectifications orthographiques de 1990, tous les verbes
en **-eler** et en **-eter** (sauf **appeler**, **jeter** et leurs composés ;
voir tableaux 14 et 15) s'écrivent avec un **è ouvert** et une consonne
simple devant un **e muet**.

appeler

INDICATIF

PRÉSENT
: j'appelle
tu appelles
il appelle
nous appelons
vous appelez
ils appellent

PASSÉ COMPOSÉ
: j'ai appelé
tu as appelé
il a appelé
nous avons appelé
vous avez appelé
ils ont appelé

IMPARFAIT
: j'appelais
tu appelais
il appelait
nous appelions
vous appeliez
ils appelaient

PLUS-QUE-PARFAIT
: j'avais appelé
tu avais appelé
il avait appelé
nous avions appelé
vous aviez appelé
ils avaient appelé

PASSÉ SIMPLE
: j'appelai
tu appelas
il appela
nous appelâmes
vous appelâtes
ils appelèrent

PASSÉ ANTÉRIEUR
: j'eus appelé
tu eus appelé
il eut appelé
nous eûmes appelé
vous eûtes appelé
ils eurent appelé

FUTUR SIMPLE
: j'appellerai
tu appelleras
il appellera
nous appellerons
vous appellerez
ils appelleront

FUTUR ANTÉRIEUR
: j'aurai appelé
tu auras appelé
il aura appelé
nous aurons appelé
vous aurez appelé
ils auront appelé

CONDITIONNEL

PRÉSENT
: j'appellerais
tu appellerais
il appellerait
nous appellerions
vous appelleriez
ils appelleraient

PASSÉ
: j'aurais appelé
tu aurais appelé
il aurait appelé
nous aurions appelé
vous auriez appelé
ils auraient appelé

SUBJONCTIF

PRÉSENT
que j'appelle
que tu appelles
qu'il appelle
que nous appelions
que vous appeliez
qu'ils appellent

PASSÉ
que j'aie appelé
que tu aies appelé
qu'il ait appelé
que nous ayons appelé
que vous ayez appelé
qu'ils aient appelé

IMPARFAIT
que j'appelasse
que tu appelasses
qu'il appelât
que nous appelassions
que vous appelassiez
qu'ils appelassent

PLUS-QUE-PARFAIT
que j'eusse appelé
que tu eusses appelé
qu'il eût appelé
que nous eussions appelé
que vous eussiez appelé
qu'ils eussent appelé

IMPÉRATIF

PRÉSENT
appelle
appelons
appelez

PASSÉ
aie appelé
ayons appelé
ayez appelé

INFINITIF

PRÉSENT
appeler

PASSÉ
avoir appelé

PARTICIPE

PRÉSENT
appelant

PASSÉ
appelé
ayant appelé

GÉRONDIF

PRÉSENT
en appelant

PASSÉ
en ayant appelé

• Depuis les rectifications orthographiques de 1990, seuls le verbe **appeler**
et les verbes de la même famille (**rappeler**, **entrappeler** mais aussi
interpeller orthographié **interpeler**, par souci de cohérence) doublent
la consonne **l** devant un **e** muet.

INDICATIF

PRÉSENT
je jette
tu jettes
il jette
nous jetons
vous jetez
ils jettent

PASSÉ COMPOSÉ
j'ai jeté
tu as jeté
il a jeté
nous avons jeté
vous avez jeté
ils ont jeté

IMPARFAIT
je jetais
tu jetais
il jetait
nous jetions
vous jetiez
ils jetaient

PLUS-QUE-PARFAIT
j'avais jeté
tu avais jeté
il avait jeté
nous avions jeté
vous aviez jeté
ils avaient jeté

PASSÉ SIMPLE
je jetai
tu jetas
il jeta
nous jetâmes
vous jetâtes
ils jetèrent

PASSÉ ANTÉRIEUR
j'eus jeté
tu eus jeté
il eut jeté
nous eûmes jeté
vous eûtes jeté
ils eurent jeté

FUTUR SIMPLE
je jetterai
tu jetteras
il jettera
nous jetterons
vous jetterez
ils jetteront

FUTUR ANTÉRIEUR
j'aurai jeté
tu auras jeté
il aura jeté
nous aurons jeté
vous aurez jeté
ils auront jeté

CONDITIONNEL

PRÉSENT
je jetterais
tu jetterais
il jetterait
nous jetterions
vous jetteriez
ils jetteraient

PASSÉ
j'aurais jeté
tu aurais jeté
il aurait jeté
nous aurions jeté
vous auriez jeté
ils auraient jeté

SUBJONCTIF

PRÉSENT
: que je jette
: que tu jettes
: qu'il jette
: que nous jetions
: que vous jetiez
: qu'ils jettent

PASSÉ
: que j'aie jeté
: que tu aies jeté
: qu'il ait jeté
: que nous ayons jeté
: que vous ayez jeté
: qu'ils aient jeté

IMPARFAIT
: que je jetasse
: que tu jetasses
: qu'il jetât
: que nous jetassions
: que vous jetassiez
: qu'ils jetassent

PLUS-QUE-PARFAIT
: que j'eusse jeté
: que tu eusses jeté
: qu'il eût jeté
: que nous eussions jeté
: que vous eussiez jeté
: qu'ils eussent jeté

IMPÉRATIF

PRÉSENT
: jette
: jetons
: jetez

PASSÉ
: aie jeté
: ayons jeté
: ayez jeté

INFINITIF

PRÉSENT
: jeter

PASSÉ
: avoir jeté

PARTICIPE

PRÉSENT
: jetant

PASSÉ
: jeté
: ayant jeté

GÉRONDIF

PRÉSENT
: en jetant

PASSÉ
: en ayant jeté

• Depuis les rectifications orthographiques de 1990, seuls le verbe **jeter** et les verbes de la même famille (**projeter**, **rejeter**…) doublent la consonne **t** devant un **e** muet.

créer

INDICATIF

PRÉSENT
je crée
tu crées
il crée
nous créons
vous créez
ils créent

PASSÉ COMPOSÉ
j'ai créé
tu as créé
il a créé
nous avons créé
vous avez créé
ils ont créé

IMPARFAIT
je créais
tu créais
il créait
nous créions
vous créiez
ils créaient

PLUS-QUE-PARFAIT
j'avais créé
tu avais créé
il avait créé
nous avions créé
vous aviez créé
ils avaient créé

PASSÉ SIMPLE
je créai
tu créas
il créa
nous créâmes
vous créâtes
ils créèrent

PASSÉ ANTÉRIEUR
j'eus créé
tu eus créé
il eut créé
nous eûmes créé
vous eûtes créé
ils eurent créé

FUTUR SIMPLE
je créerai
tu créeras
il créera
nous créerons
vous créerez
ils créeront

FUTUR ANTÉRIEUR
j'aurai créé
tu auras créé
il aura créé
nous aurons créé
vous aurez créé
ils auront créé

CONDITIONNEL

PRÉSENT
je créerais
tu créerais
il créerait
nous créerions
vous créeriez
ils créeraient

PASSÉ
j'aurais créé
tu aurais créé
il aurait créé
nous aurions créé
vous auriez créé
ils auraient créé

SUBJONCTIF

PRÉSENT
: que je crée
: que tu crées
: qu'il crée
: que nous créions
: que vous créiez
: qu'ils créent

PASSÉ
: que j'aie créé
: que tu aies créé
: qu'il ait créé
: que nous ayons créé
: que vous ayez créé
: qu'ils aient créé

IMPARFAIT
: que je créasse
: que tu créasses
: qu'il créât
: que nous créassions
: que vous créassiez
: qu'ils créassent

PLUS-QUE-PARFAIT
: que j'eusse créé
: que tu eusses créé
: qu'il eût créé
: que nous eussions créé
: que vous eussiez créé
: qu'ils eussent créé

IMPÉRATIF

PRÉSENT
: crée
: créons
: créez

PASSÉ
: aie créé
: ayons créé
: ayez créé

INFINITIF

PRÉSENT
: créer

PASSÉ
: avoir créé

PARTICIPE

PRÉSENT
: créant

PASSÉ
: créé
: ayant créé

GÉRONDIF

PRÉSENT
: en créant

PASSÉ
: en ayant créé

- Ces verbes n'offrent d'autre particularité que la présence très régulière de deux **e** à certaines personnes de l'indicatif présent, du passé simple, du futur, du conditionnel présent, de l'impératif, du subjonctif présent, du participe passé masculin, et celle de trois **e** au participe passé féminin : *créée*.
- Dans les verbes en **-éer**, le **é** reste toujours fermé : *je crée, tu crées…*

apprécier

INDICATIF

PRÉSENT
j'apprécie
tu apprécies
il apprécie
nous apprécions
vous appréciez
ils apprécient

PASSÉ COMPOSÉ
j'ai apprécié
tu as apprécié
il a apprécié
nous avons apprécié
vous avez apprécié
ils ont apprécié

IMPARFAIT
j'appréciais
tu appréciais
il appréciait
nous appréciions
vous appréciiez
ils appréciaient

PLUS-QUE-PARFAIT
j'avais apprécié
tu avais apprécié
il avait apprécié
nous avions apprécié
vous aviez apprécié
ils avaient apprécié

PASSÉ SIMPLE
j'appréciai
tu apprécias
il apprécia
nous appréciâmes
vous appréciâtes
ils apprécièrent

PASSÉ ANTÉRIEUR
j'eus apprécié
tu eus apprécié
il eut apprécié
nous eûmes apprécié
vous eûtes apprécié
ils eurent apprécié

FUTUR SIMPLE
j'apprécierai
tu apprécieras
il appréciera
nous apprécierons
vous apprécierez
ils apprécieront

FUTUR ANTÉRIEUR
j'aurai apprécié
tu auras apprécié
il aura apprécié
nous aurons apprécié
vous aurez apprécié
ils auront apprécié

CONDITIONNEL

PRÉSENT
j'apprécierais
tu apprécierais
il apprécierait
nous apprécierions
vous apprécieriez
ils apprécieraient

PASSÉ
j'aurais apprécié
tu aurais apprécié
il aurait apprécié
nous aurions apprécié
vous auriez apprécié
ils auraient apprécié

SUBJONCTIF

PRÉSENT
: que j'apprécie
: que tu apprécies
: qu'il apprécie
: que nous appréciions
: que vous appréciiez
: qu'ils apprécient

PASSÉ
: que j'aie apprécié
: que tu aies apprécié
: qu'il ait apprécié
: que nous ayons apprécié
: que vous ayez apprécié
: qu'ils aient apprécié

IMPARFAIT
: que j'appréciasse
: que tu appréciasses
: qu'il appréciât
: que nous appréciassions
: que vous appréciassiez
: qu'ils appréciassent

PLUS-QUE-PARFAIT
: que j'eusse apprécié
: que tu eusses apprécié
: qu'il eût apprécié
: que nous eussions apprécié
: que vous eussiez apprécié
: qu'ils eussent apprécié

IMPÉRATIF

PRÉSENT
: apprécie
: apprécions
: appréciez

PASSÉ
: aie apprécié
: ayons apprécié
: ayez apprécié

INFINITIF

PRÉSENT
: apprécier

PASSÉ
: avoir apprécié

PARTICIPE

PRÉSENT
: appréciant

PASSÉ
: apprécié
: ayant apprécié

GÉRONDIF

PRÉSENT
: en appréciant

PASSÉ
: en ayant apprécié

• Ces verbes n'offrent d'autre particularité que les deux **i** à la 1ʳᵉ et à
la 2ᵉ personnes du pluriel de l'imparfait de l'indicatif et du présent du
subjonctif : *appréciions*, *appréciiez*. Ces deux **i** proviennent de la rencontre
du **i** final du radical, qui se maintient dans toute la conjugaison, avec
le **i** initial de la terminaison de l'imparfait de l'indicatif et du présent
du subjonctif.

payer

INDICATIF

PRÉSENT
: je paie / paye
: tu paies / payes
: il paie / paye
: nous payons
: vous payez
: ils paient / payent

PASSÉ COMPOSÉ
: j'ai payé
: tu as payé
: il a payé
: nous avons payé
: vous avez payé
: ils ont payé

IMPARFAIT
: je payais
: tu payais
: il payait
: nous payions
: vous payiez
: ils payaient

PLUS-QUE-PARFAIT
: j'avais payé
: tu avais payé
: il avait payé
: nous avions payé
: vous aviez payé
: ils avaient payé

PASSÉ SIMPLE
: je payai
: tu payas
: il paya
: nous payâmes
: vous payâtes
: ils payèrent

PASSÉ ANTÉRIEUR
: j'eus payé
: tu eus payé
: il eut payé
: nous eûmes payé
: vous eûtes payé
: ils eurent payé

FUTUR SIMPLE
: je paierai / payerai
: tu paieras / payeras
: il paiera / payera
: nous paierons / payerons
: vous paierez / payerez
: ils paieront / payeront

FUTUR ANTÉRIEUR
: j'aurai payé
: tu auras payé
: il aura payé
: nous aurons payé
: vous aurez payé
: ils auront payé

CONDITIONNEL

PRÉSENT
: je paierais / payerais
: tu paierais / payerais
: il paierait / payerait
: nous paierions / payerions
: vous paieriez / payeriez
: ils paieraient / payeraient

PASSÉ
: j'aurais payé
: tu aurais payé
: il aurait payé
: nous aurions payé
: vous auriez payé
: ils auraient payé

verbes en -ayer

SUBJONCTIF

PRÉSENT
que je paie / paye
que tu paies / payes
qu'il paie / paye
que nous payions
que vous payiez
qu'ils paient / payent

PASSÉ
que j'aie payé
que tu aies payé
qu'il ait payé
que nous ayons payé
que vous ayez payé
qu'ils aient payé

IMPARFAIT
que je payasse
que tu payasses
qu'il payât
nous nous payassions
que vous payassiez
qu'ils payassent

PLUS-QUE-PARFAIT
que j'eusse payé
que tu eusses payé
qu'il eût payé
que nous eussions payé
que vous eussiez payé
qu'ils eussent payé

IMPÉRATIF

PRÉSENT
paye / paie
payons
payez

PASSÉ
aie payé
ayons payé
ayez payé

INFINITIF

PRÉSENT
payer

PASSÉ
avoir payé

PARTICIPE

PRÉSENT
payant

PASSÉ
payé
ayant payé

GÉRONDIF

PRÉSENT
en payant

PASSÉ
en ayant payé

- Les verbes en **-ayer** peuvent : 1. conserver le **y** dans toute la conjugaison ; 2. remplacer le **y** par **i** devant un **e** muet, c'est-à-dire devant les terminaisons : **e**, **es**, **ent**, **erai** (**eras**...), **erais** (**erais**...). Remarquer la présence du **i** après **y** aux deux premières personnes du pluriel de l'imparfait de l'indicatif et du présent du subjonctif.
- Les verbes en **-eyer** (**grasseyer**, **faseyer**, **capeyer**) conserve le **y** partout.

broyer

INDICATIF

PRÉSENT
: je broie
: tu broies
: il broie
: nous broyons
: vous broyez
: ils broient

PASSÉ COMPOSÉ
: j'ai broyé
: tu as broyé
: il a broyé
: nous avons broyé
: vous avez broyé
: ils ont broyé

IMPARFAIT
: je broyais
: tu broyais
: il broyait
: nous broyions
: vous broyiez
: ils broyaient

PLUS-QUE-PARFAIT
: j'avais broyé
: tu avais broyé
: il avait broyé
: nous avions broyé
: vous aviez broyé
: ils avaient broyé

PASSÉ SIMPLE
: je broyai
: tu broyas
: il broya
: nous broyâmes
: vous broyâtes
: ils broyèrent

PASSÉ ANTÉRIEUR
: j'eus broyé
: tu eus broyé
: il eut broyé
: nous eûmes broyé
: vous eûtes broyé
: ils eurent broyé

FUTUR SIMPLE
: je broierai
: tu broieras
: il broiera
: nous broierons
: vous broierez
: ils broieront

FUTUR ANTÉRIEUR
: j'aurai broyé
: tu auras broyé
: il aura broyé
: nous aurons broyé
: vous aurez broyé
: ils auront broyé

CONDITIONNEL

PRÉSENT
: je broierais
: tu broierais
: il broierait
: nous broierions
: vous broieriez
: ils broieraient

PASSÉ
: j'aurais broyé
: tu aurais broyé
: il aurait broyé
: nous aurions broyé
: vous auriez broyé
: ils auraient broyé

verbes en -oyer et -uyer

SUBJONCTIF

PRÉSENT
: que je broie
: que tu broies
: qu'il broie
: que nous broyions
: que vous broyiez
: qu'ils broient

PASSÉ
: que j'aie broyé
: que tu aies broyé
: qu'il ait broyé
: que nous ayons broyé
: que vous ayez broyé
: qu'ils aient broyé

IMPARFAIT
: que je broyasse
: que tu broyasses
: qu'il broyât
: que nous broyassions
: que vous broyassiez
: qu'ils broyassent

PLUS-QUE-PARFAIT
: que j'eusse broyé
: que tu eusses broyé
: qu'il eût broyé
: que nous eussions broyé
: que vous eussiez broyé
: qu'ils eussent broyé

IMPÉRATIF

PRÉSENT
: broie
: broyons
: broyez

PASSÉ
: aie broyé
: ayons broyé
: ayez broyé

INFINITIF

PRÉSENT
: broyer

PASSÉ
: avoir broyé

PARTICIPE

PRÉSENT
: broyant

PASSÉ
: broyé
: ayant broyé

GÉRONDIF

PRÉSENT
: en broyant

PASSÉ
: en ayant broyé

• Les verbes en **-oyer** et **-uyer** changent le **y** du radical en **i** devant un **e muet** (terminaisons **e**, **es**, **ent**, **erai**…, **erais**…). Exceptions : **envoyer** et **renvoyer**, qui sont irréguliers au futur et au conditionnel présent (→ tableau 20). Remarquer la présence du **i** après **y** aux deux premières personnes du pluriel, à l'imparfait de l'indicatif et au présent du subjonctif.

envoyer

INDICATIF

PRÉSENT
j'envoie
tu envoies
il envoie
nous envoyons
vous envoyez
ils envoient

PASSÉ COMPOSÉ
j'ai envoyé
tu as envoyé
il a envoyé
nous avons envoyé
vous avez envoyé
ils ont envoyé

IMPARFAIT
j'envoyais
tu envoyais
il envoyait
nous envoyions
vous envoyiez
ils envoyaient

PLUS-QUE-PARFAIT
j'avais envoyé
tu avais envoyé
il avait envoyé
nous avions envoyé
vous aviez envoyé
ils avaient envoyé

PASSÉ SIMPLE
j'envoyai
tu envoyas
il envoya
nous envoyâmes
vous envoyâtes
ils envoyèrent

PASSÉ ANTÉRIEUR
j'eus envoyé
tu eus envoyé
il eut envoyé
nous eûmes envoyé
vous eûtes envoyé
ils eurent envoyé

FUTUR SIMPLE
j'enverrai
tu enverras
il enverra
nous enverrons
vous enverrez
ils enverront

FUTUR ANTÉRIEUR
j'aurai envoyé
tu auras envoyé
il aura envoyé
nous aurons envoyé
vous aurez envoyé
ils auront envoyé

CONDITIONNEL

PRÉSENT
j'enverrais
tu enverrais
il enverrait
nous enverrions
vous enverriez
ils enverraient

PASSÉ
j'aurais envoyé
tu aurais envoyé
il aurait envoyé
nous aurions envoyé
vous auriez envoyé
ils auraient envoyé

SUBJONCTIF

PRÉSENT
que j'envoie
que tu envoies
qu'il envoie
que nous envoyions
que vous envoyiez
qu'ils envoient

PASSÉ
que j'aie envoyé
que tu aies envoyé
qu'il ait envoyé
que nous ayons envoyé
que vous ayez envoyé
qu'ils aient envoyé

IMPARFAIT
que j'envoyasse
que tu envoyasses
qu'il envoyât
que nous envoyassions
que vous envoyassiez
qu'ils envoyassent

PLUS-QUE-PARFAIT
que j'eusse envoyé
que tu eusses envoyé
qu'il eût envoyé
que nous eussions envoyé
que vous eussiez envoyé
qu'ils eussent envoyé

IMPÉRATIF

PRÉSENT
envoie
envoyons
envoyez

PASSÉ
aie envoyé
ayons envoyé
ayez envoyé

INFINITIF

PRÉSENT
envoyer

PASSÉ
avoir envoyé

PARTICIPE

PRÉSENT
envoyant

PASSÉ
envoyé
ayant envoyé

GÉRONDIF

PRÉSENT
en envoyant

PASSÉ
en ayant envoyé

• Au futur et au conditionnel présent, le verbe **envoyer** s'écrit avec deux **r** : *j'enverrai, j'enverrais.*
• **Renvoyer** se conjugue sur ce modèle.

finir

INDICATIF

PRÉSENT
: je finis
: tu finis
: il finit
: nous finissons
: vous finissez
: ils finissent

PASSÉ COMPOSÉ
: j'ai fini
: tu as fini
: il a fini
: nous avons fini
: vous avez fini
: ils ont fini

IMPARFAIT
: je finissais
: tu finissais
: il finissait
: nous finissions
: vous finissiez
: ils finissaient

PLUS-QUE-PARFAIT
: j'avais fini
: tu avais fini
: il avait fini
: nous avions fini
: vous aviez fini
: ils avaient fini

PASSÉ SIMPLE
: je finis
: tu finis
: il finit
: nous finîmes
: vous finîtes
: ils finirent

PASSÉ ANTÉRIEUR
: j'eus fini
: tu eus fini
: il eut fini
: nous eûmes fini
: vous eûtes fini
: ils eurent fini

FUTUR SIMPLE
: je finirai
: tu finiras
: il finira
: nous finirons
: vous finirez
: ils finiront

FUTUR ANTÉRIEUR
: j'aurai fini
: tu auras fini
: il aura fini
: nous aurons fini
: vous aurez fini
: ils auront fini

CONDITIONNEL

PRÉSENT
: je finirais
: tu finirais
: il finirait
: nous finirions
: vous finiriez
: ils finiraient

PASSÉ
: j'aurais fini
: tu aurais fini
: il aurait fini
: nous aurions fini
: vous auriez fini
: ils auraient fini

participe présent en -issant   2e GROUPE

SUBJONCTIF

PRÉSENT
: que je finisse
: que tu finisses
: qu'il finisse
: que nous finissions
: que vous finissiez
: qu'ils finissent

PASSÉ
: que j'aie fini
: que tu aies fini
: qu'il ait fini
: que nous ayons fini
: que vous ayez fini
: qu'ils aient fini

IMPARFAIT
: que je finisse
: que tu finisses
: qu'il finît
: que nous finissions
: que vous finissiez
: qu'ils finissent

PLUS-QUE-PARFAIT
: que j'eusse fini
: que tu eusses fini
: qu'il eût fini
: que nous eussions fini
: que vous eussiez fini
: qu'ils eussent fini

IMPÉRATIF

PRÉSENT
: finis
: finissons
: finissez

PASSÉ
: aie fini
: ayons fini
: ayez fini

INFINITIF

PRÉSENT
: finir

PASSÉ
: avoir fini

PARTICIPE

PRÉSENT
: finissant

PASSÉ
: fini
: ayant fini

GÉRONDIF

PRÉSENT
: en finissant

PASSÉ
: en ayant fini

• Ainsi se conjuguent environ 300 verbes en **-ir**, **-issant**, qui forment le 2e groupe.

• Le verbe **maudire** se conjugue sur ce modèle, bien que son infinitif s'achève en **-ire** (comme un verbe du 3e groupe) et que son participe passé se termine par **-t** : *maudit*, *maudite*.

haïr

INDICATIF

PRÉSENT
: je hais
: tu hais
: il hait
: nous haïssons
: vous haïssez
: ils haïssent

PASSÉ COMPOSÉ
: j'ai haï
: tu as haï
: il a haï
: nous avons haï
: vous avez haï
: ils ont haï

IMPARFAIT
: je haïssais
: tu haïssais
: il haïssait
: nous haïssions
: vous haïssiez
: ils haïssaient

PLUS-QUE-PARFAIT
: j'avais haï
: tu avais haï
: il avait haï
: nous avions haï
: vous aviez haï
: ils avaient haï

PASSÉ SIMPLE
: je haïs
: tu haïs
: il haït
: nous haïmes
: vous haïtes
: ils haïrent

PASSÉ ANTÉRIEUR
: j'eus haï
: tu eus haï
: il eut haï
: nous eûmes haï
: vous eûtes haï
: ils eurent haï

FUTUR SIMPLE
: je haïrai
: tu haïras
: il haïra
: nous haïrons
: vous haïrez
: ils haïront

FUTUR ANTÉRIEUR
: j'aurai haï
: tu auras haï
: il aura haï
: nous aurons haï
: vous aurez haï
: ils auront haï

CONDITIONNEL

PRÉSENT
: je haïrais
: tu haïrais
: il haïrait
: nous haïrions
: vous haïriez
: ils haïraient

PASSÉ
: j'aurais haï
: tu aurais haï
: il aurait haï
: nous aurions haï
: vous auriez haï
: ils auraient haï

SUBJONCTIF

PRÉSENT
: que je haïsse
: que tu haïsses
: qu'il haïsse
: que nous haïssions
: que vous haïssiez
: qu'ils haïssent

PASSÉ
: que j'aie haï
: que tu aies haï
: qu'il ait haï
: que nous ayons haï
: que vous ayez haï
: qu'ils aient haï

IMPARFAIT
: que je haïsse
: que tu haïsses
: qu'il haït
: que nous haïssions
: que vous haïssiez
: qu'ils haïssent

PLUS-QUE-PARFAIT
: que j'eusse haï
: que tu eusses haï
: qu'il eût haï
: que nous eussions haï
: que vous eussiez haï
: qu'ils eussent haï

IMPÉRATIF

PRÉSENT
: hais
: haïssons
: haïssez

PASSÉ
: aie haï
: ayons haï
: ayez haï

INFINITIF

PRÉSENT
: haïr

PASSÉ
: avoir haï

PARTICIPE

PRÉSENT
: haïssant

PASSÉ
: haï
: ayant haï

GÉRONDIF

PRÉSENT
: en haïssant

PASSÉ
: en ayant haï

• **Haïr** est le seul verbe de cette conjugaison ; il prend un tréma sur le **i** dans toute sa conjugaison, excepté aux trois personnes du singulier de l'impératif. Le tréma exclut l'accent circonflexe au passé simple et au subjonctif imparfait.

Ces verbes sont classés dans l'ordre des tableaux de conjugaison où se trouve entièrement conjugué soit le verbe lui-même, soit le verbe type (en bleu) qui lui sert de modèle, à l'auxiliaire près.

24 aller	démentir	36 mourir	57 rompre
25 tenir	partir	37 servir[2]	corrompre
abstenir (s')	départir	desservir	interrompre
appartenir	repartir	resservir	58 rendre
contenir	repentir (se)	38 fuir	défendre
détenir	sortir	enfuir (s')	descendre
entretenir	ressortir[1]	39 ouïr	condescendre
maintenir	28 vêtir	40 gésir	redescendre
obtenir	dévêtir	41 recevoir	fendre
retenir	revêtir	apercevoir	pourfendre
soutenir	survêtir	concevoir	refendre
venir	29 couvrir	décevoir	pendre
avenir	découvrir	percevoir	appendre
advenir	recouvrir	42 voir	dépendre
bienvenir	redécouvrir	entrevoir	rependre
circonvenir	ouvrir	prévoir	suspendre
contrevenir	entrouvrir	revoir	tendre
convenir	rentrouvrir	43 pourvoir	attendre
devenir	rouvrir	dépourvoir	détendre
disconvenir	offrir	44 savoir	distendre
intervenir	souffrir	45 devoir	entendre
obvenir	30 cueillir	redevoir	étendre
parvenir	accueillir	46 pouvoir	prétendre
prévenir	recueillir	47 mouvoir	retendre
provenir	31 assaillir	émouvoir	sous-entendre
redevenir	saillir	promouvoir	sous-tendre
ressouvenir se)	tressaillir	48 pleuvoir	vendre
revenir	défaillir	repleuvoir	mévendre
souvenir (se)	32 faillir	49 falloir	revendre
subvenir	33 bouillir	50 valoir	épandre
survenir	débouillir	équivaloir	répandre
26 acquérir	34 dormir	prévaloir	fondre
conquérir	endormir	revaloir	confondre
enquérir (s')	rendormir	51 vouloir	morfondre (se)
quérir	35 courir	52 asseoir	parfondre
reconquérir	accourir	rasseoir	refondre
requérir	concourir	53 seoir	pondre
27 sentir	discourir	messeoir	répondre
consentir	encourir	54 surseoir	correspondre
pressentir	parcourir	55 déchoir	tondre
ressentir	recourir	choir	retondre
mentir	secourir	56 échoir	perdre

....

1. Le verbe **ressortir**, dans le sens de : être du ressort de, se conjugue sur le modèle de **finir** (2ᵉ groupe).

2. **Asservir** se conjugue sur le modèle de **finir** (2ᵉ groupe).

reperdre
mordre
démordre
remordre
tordre
détordre
distordre
retordre
59 prendre
apprendre
comprendre
déprendre
désapprendre
entreprendre
éprendre (s')
méprendre (se)
réapprendre
reprendre
surprendre
60 battre
abattre
combattre
contrebattre
débattre
ébattre (s')
embattre
rabattre
rebattre
61 mettre
admettre
commettre
compromettre
démettre
émettre
entremettre (s')
omettre
permettre
promettre
réadmettre
remettre
retransmettre
soumettre
transmettre
62 peindre
dépeindre
repeindre
astreindre
étreindre
restreindre
atteindre

ceindre
enceindre
empreindre
enfreindre
feindre
geindre
teindre
déteindre
éteindre
reteindre
63 joindre
adjoindre
conjoindre
disjoindre
enjoindre
rejoindre
oindre
poindre
64 craindre
contraindre
plaindre
65 vaincre
convaincre
66 traire
abstraire
distraire
extraire
retraire
raire
soustraire
braire
67 faire
contrefaire
défaire
forfaire
malfaire
méfaire
parfaire
redéfaire
refaire
satisfaire
surfaire
68 plaire
complaire
déplaire
taire
69 connaître
méconnaître
reconnaître
paraître

apparaître
comparaître
disparaître
réapparaître
recomparaître
reparaître
transparaître
70 naître
renaître
71 paître
72 repaître
73 croître
accroître
décroître
recroître
74 croire
accroire
75 boire
emboire
76 clore
déclore
éclore
enclore
forclore
77 conclure
exclure
inclure
occlure
reclure
78 résoudre
absoudre
dissoudre
79 coudre
découdre
recoudre
80 moudre
émoudre
remoudre
81 suivre
ensuivre (s')
poursuivre
82 vivre
revivre
survivre
83 lire
élire
réélire
relire
84 dire[3]
contredire

dédire
interdire
médire
prédire
redire
85 rire
sourire
86 écrire
circonscrire
décrire
inscrire
prescrire
proscrire
récrire
réinscrire
retranscrire
souscrire
transcrire
87 confire
déconfire
circoncire
frire
suffire
88 cuire
recuire
conduire
déduire
éconduire
enduire
induire
introduire
produire
reconduire
réduire
réintroduire
reproduire
retraduire
séduire
traduire
construire
détruire
instruire
reconstruire
luire
reluire
nuire
entre-nuire (s')

....

3. **Maudire** se conjugue sur le modèle de **finir** (2e groupe).

aller

INDICATIF

PRÉSENT
: je vais
: tu vas
: il va
: nous allons
: vous allez
: ils vont

PASSÉ COMPOSÉ
: je suis allé
: tu es allé
: il est allé
: nous sommes allés
: vous êtes allés
: ils sont allés

IMPARFAIT
: j'allais
: tu allais
: il allait
: nous allions
: vous alliez
: ils allaient

PLUS-QUE-PARFAIT
: j'étais allé
: tu étais allé
: il était allé
: nous étions allés
: vous étiez allés
: ils étaient allés

PASSÉ SIMPLE
: j'allai
: tu allas
: il alla
: nous allâmes
: vous allâtes
: ils allèrent

PASSÉ ANTÉRIEUR
: je fus allé
: tu fus allé
: il fut allé
: nous fûmes allés
: vous fûtes allés
: ils furent allés

FUTUR SIMPLE
: j'irai
: tu iras
: il ira
: nous irons
: vous irez
: ils iront

FUTUR ANTÉRIEUR
: je serai allé
: tu seras allé
: il sera allé
: nous serons allés
: vous serez allés
: ils seront allés

CONDITIONNEL

PRÉSENT
: j'irais
: tu irais
: il irait
: nous irions
: vous iriez
: ils iraient

PASSÉ
: je serais allé
: tu serais allé
: il serait allé
: nous serions allés
: vous seriez allés
: ils seraient allés

SUBJONCTIF

PRÉSENT
que j'aille
que tu ailles
qu'il aille
que nous allions
que vous alliez
qu'ils aillent

PASSÉ
que je sois allé
que tu sois allé
qu'il soit allé
que nous soyons allés
que vous soyez allés
qu'ils soient allés

IMPARFAIT
que j'allasse
que tu allasses
qu'il allât
que nous allassions
que vous allassiez
qu'ils allassent

PLUS-QUE-PARFAIT
que je fusse allé
que tu fusses allé
qu'il fût allé
que nous fussions allés
que vous fussiez allés
qu'ils fussent allés

IMPÉRATIF

PRÉSENT
va
allons
allez

PASSÉ
sois allé
soyons allés
soyez allés

INFINITIF

PRÉSENT
aller

PASSÉ
être allé

PARTICIPE

PRÉSENT
allant

PASSÉ
allé
étant allé

GÉRONDIF

PRÉSENT
en allant

PASSÉ
en étant allé

- Le verbe **aller** se conjugue sur quatre radicaux distincts.
- À l'impératif, devant le pronom adverbial **y** non suivi d'un infinitif, **va** prend un **s** : *Vas-y* ; mais : *Va y mettre bon ordre*. À la forme interrogative, on écrit : *va-t-il ?* comme *aima-t-il ?*
- **S'en aller** se conjugue comme **aller**. Aux temps composés, on écrit : *Je m'en suis allé*. L'impératif est : *va-t'en*, *allons-nous-en…*

tenir

INDICATIF

PRÉSENT
: je tiens
: tu tiens
: il tient
: nous tenons
: vous tenez
: ils tiennent

PASSÉ COMPOSÉ
: j'ai tenu
: tu as tenu
: il a tenu
: nous avons tenu
: vous avez tenu
: ils ont tenu

IMPARFAIT
: je tenais
: tu tenais
: il tenait
: nous tenions
: vous teniez
: ils tenaient

PLUS-QUE-PARFAIT
: j'avais tenu
: tu avais tenu
: il avait tenu
: nous avions tenu
: vous aviez tenu
: ils avaient tenu

PASSÉ SIMPLE
: je tins
: tu tins
: il tint
: nous tînmes
: vous tîntes
: ils tinrent

PASSÉ ANTÉRIEUR
: j'eus tenu
: tu eus tenu
: il eut tenu
: nous eûmes tenu
: vous eûtes tenu
: ils eurent tenu

FUTUR SIMPLE
: je tiendrai
: tu tiendras
: il tiendra
: nous tiendrons
: vous tiendrez
: ils tiendront

FUTUR ANTÉRIEUR
: j'aurai tenu
: tu auras tenu
: il aura tenu
: nous aurons tenu
: vous aurez tenu
: ils auront tenu

CONDITIONNEL

PRÉSENT
: je tiendrais
: tu tiendrais
: il tiendrait
: nous tiendrions
: vous tiendriez
: ils tiendraient

PASSÉ
: j'aurais tenu
: tu aurais tenu
: il aurait tenu
: nous aurions tenu
: vous auriez tenu
: ils auraient tenu

verbes en -enir

SUBJONCTIF

PRÉSENT
: que je tienne
: que tu tiennes
: qu'il tienne
: que nous tenions
: que vous teniez
: qu'ils tiennent

PASSÉ
: que j'aie tenu
: que tu aies tenu
: qu'il ait tenu
: que nous ayons tenu
: que vous ayez tenu
: qu'ils aient tenu

IMPARFAIT
: que je tinsse
: que tu tinsses
: qu'il tînt
: que nous tinssions
: que vous tinssiez
: qu'ils tinssent

PLUS-QUE-PARFAIT
: que j'eusse tenu
: que tu eusses tenu
: qu'il eût tenu
: que nous eussions tenu
: que vous eussiez tenu
: qu'ils eussent tenu

IMPÉRATIF

PRÉSENT
: tiens
: tenons
: tenez

PASSÉ
: aie tenu
: ayons tenu
: ayez tenu

INFINITIF

PRÉSENT
: tenir

PASSÉ
: avoir tenu

PARTICIPE

PRÉSENT
: tenant

PASSÉ
: tenu
: ayant tenu

GÉRONDIF

PRÉSENT
: en tenant

PASSÉ
: en ayant tenu

- Se conjuguent sur ce modèle **tenir**, **venir** et leur composés
  (→ tableau 23). **Venir** et ses composés prennent l'auxiliaire **être**,
  sauf **circonvenir**, **contrevenir**, **prévenir**, **subvenir**.
- **Advenir** n'est employé qu'à la 3ᵉ personne du singulier et du pluriel ;
  les temps composés se forment avec l'auxiliaire **être** : *il est advenu*.

acquérir

INDICATIF

PRÉSENT
: j'acquiers
: tu acquiers
: il acquiert
: nous acquérons
: vous acquérez
: ils acquièrent

PASSÉ COMPOSÉ
: j'ai acquis
: tu as acquis
: il a acquis
: nous avons acquis
: vous avez acquis
: ils ont acquis

IMPARFAIT
: j'acquérais
: tu acquérais
: il acquérait
: nous acquérions
: vous acquériez
: ils acquéraient

PLUS-QUE-PARFAIT
: j'avais acquis
: tu avais acquis
: il avait acquis
: nous avions acquis
: vous aviez acquis
: ils avaient acquis

PASSÉ SIMPLE
: j'acquis
: tu acquis
: il acquit
: nous acquîmes
: vous acquîtes
: ils acquirent

PASSÉ ANTÉRIEUR
: j'eus acquis
: tu eus acquis
: il eut acquis
: nous eûmes acquis
: vous eûtes acquis
: ils eurent acquis

FUTUR SIMPLE
: j'acquerrai
: tu acquerras
: il acquerra
: nous acquerrons
: vous acquerrez
: ils acquerront

FUTUR ANTÉRIEUR
: j'aurai acquis
: tu auras acquis
: il aura acquis
: nous aurons acquis
: vous aurez acquis
: ils auront acquis

CONDITIONNEL

PRÉSENT
: j'acquerrais
: tu acquerrais
: il acquerrait
: nous acquerrions
: vous acquerriez
: ils acquerraient

PASSÉ
: j'aurais acquis
: tu aurais acquis
: il aurait acquis
: nous aurions acquis
: vous auriez acquis
: ils auraient acquis

verbes en -érir   3ᵉ GROUPE

SUBJONCTIF

PRÉSENT
: que j'acquière
: que tu acquières
: qu'il acquière
: que nous acquérions
: que vous acquériez
: qu'ils acquièrent

PASSÉ
: que j'aie acquis
: que tu aies acquis
: qu'il ait acquis
: que nous ayons acquis
: que vous ayez acquis
: qu'ils aient acquis

IMPARFAIT
: que j'acquisse
: que tu acquisses
: qu'il acquît
: que nous acquissions
: que vous acquissiez
: qu'ils acquissent

PLUS-QUE-PARFAIT
: que j'eusse acquis
: que tu eusses acquis
: qu'il eût acquis
: que nous eussions acquis
: que vous eussiez acquis
: qu'ils eussent acquis

IMPÉRATIF

PRÉSENT
: acquiers
: acquérons
: acquérez

PASSÉ
: aie acquis
: ayons acquis
: ayez acquis

INFINITIF

PRÉSENT
: acquérir

PASSÉ
: avoir acquis

PARTICIPE

PRÉSENT
: acquérant

PASSÉ
: acquis
: ayant acquis

GÉRONDIF

PRÉSENT
: en acquérant

PASSÉ
: en ayant acquis

- Les composés de **quérir** se conjuguent sur ce modèle (→ tableau 23).
- Ne pas confondre le participe substantivé **acquis** *(avoir de l'acquis)* avec le substantif verbal **acquit** de **acquitter** *(par acquit, pour acquit).*

sentir

INDICATIF

PRÉSENT	**PASSÉ COMPOSÉ**
je sens	j'ai senti
tu sens	tu as senti
il sent	il a senti
nous sentons	nous avons senti
vous sentez	vous avez senti
ils sentent	ils ont senti
IMPARFAIT	**PLUS-QUE-PARFAIT**
je sentais	j'avais senti
tu sentais	tu avais senti
il sentait	il avait senti
nous sentions	nous avions senti
vous sentiez	vous aviez senti
ils sentaient	ils avaient senti
PASSÉ SIMPLE	**PASSÉ ANTÉRIEUR**
je sentis	j'eus senti
tu sentis	tu eus senti
il sentit	il eut senti
nous sentîmes	nous eûmes senti
vous sentîtes	vous eûtes senti
ils sentirent	ils eurent senti
FUTUR SIMPLE	**FUTUR ANTÉRIEUR**
je sentirai	j'aurai senti
tu sentiras	tu auras senti
il sentira	il aura senti
nous sentirons	nous aurons senti
vous sentirez	vous aurez senti
ils sentirons	ils auront senti

CONDITIONNEL

PRÉSENT	**PASSÉ**
je sentirais	j'aurais senti
tu sentirais	tu aurais senti
il sentirait	il aurait senti
nous sentirions	nous aurions senti
vous sentiriez	vous auriez senti
ils sentiraient	ils auraient senti

SUBJONCTIF

PRÉSENT
: que je sente
: que tu sentes
: qu'il sente
: que nous sentions
: que vous sentiez
: qu'ils sentent

PASSÉ
: que j'aie senti
: que tu aies senti
: qu'il ait senti
: que nous ayons senti
: que vous ayez senti
: qu'ils aient senti

IMPARFAIT
: que je sentisse
: que tu sentisses
: qu'il sentît
: que nous sentissions
: que vous sentissiez
: qu'ils sentissent

PLUS-QUE-PARFAIT
: que j'eusse senti
: que tu eusses senti
: qu'il eût senti
: que nous eussions senti
: que vous eussiez senti
: qu'ils eussent senti

IMPÉRATIF

PRÉSENT
: sens
: sentons
: sentez

PASSÉ
: aie senti
: ayons senti
: ayez senti

INFINITIF

PRÉSENT
: sentir

PASSÉ
: avoir senti

PARTICIPE

PRÉSENT
: sentant

PASSÉ
: senti
: ayant senti

GÉRONDIF

PRÉSENT
: en sentant

PASSÉ
: en ayant senti

- **Mentir**, **sentir**, **partir**, **se repentir**, **sortir** et leurs composés se conjuguent sur ce modèle (→ tableau 23).
- **Départir**, employé d'ordinaire à la forme pronominale **se départir**, se conjugue normalement comme **partir** : *je me dépars…, je me départais…, se départant*. On observe, sous l'influence sans doute de **répartir**, les formes : *il se départissait, se départissant* ; et au présent de l'indicatif : *il se départit*.

vêtir

INDICATIF

PRÉSENT	PASSÉ COMPOSÉ
je vêts	j'ai vêtu
tu vêts	tu as vêtu
il vêt	il a vêtu
nous vêtons	nous avons vêtu
vous vêtez	vous avez vêtu
ils vêtent	ils ont vêtu

IMPARFAIT	PLUS-QUE-PARFAIT
je vêtais	j'avais vêtu
tu vêtais	tu avais vêtu
il vêtait	il avait vêtu
nous vêtions	nous avions vêtu
vous vêtiez	vous aviez vêtu
ils vêtaient	ils avaient vêtu

PASSÉ SIMPLE	PASSÉ ANTÉRIEUR
je vêtis	j'eus vêtu
tu vêtis	tu eus vêtu
il vêtit	il eut vêtu
nous vêtîmes	nous eûmes vêtu
vous vêtîtes	vous eûtes vêtu
ils vêtirent	ils eurent vêtu

FUTUR SIMPLE	FUTUR ANTÉRIEUR
je vêtirai	j'aurai vêtu
tu vêtiras	tu auras vêtu
il vêtira	il aura vêtu
nous vêtirons	nous aurons vêtu
vous vêtirez	vous aurez vêtu
ils vêtiront	ils auront vêtu

CONDITIONNEL

PRÉSENT	PASSÉ
je vêtirais	j'aurais vêtu
tu vêtirais	tu aurais vêtu
il vêtirait	il aurait vêtu
nous vêtirions	nous aurions vêtu
vous vêtiriez	vous auriez vêtu
ils vêtiraient	ils auraient vêtu

SUBJONCTIF

PRÉSENT
: que je vête
: que tu vêtes
: qu'il vête
: que nous vêtions
: que vous vêtiez
: qu'ils vêtent

PASSÉ
: que j'aie vêtu
: que tu aies vêtu
: qu'il ait vêtu
: que nous ayons vêtu
: que vous ayez vêtu
: qu'ils aient vêtu

IMPARFAIT
: que je vêtisse
: que tu vêtisses
: qu'il vêtît
: que nous vêtissions
: que vous vêtissiez
: qu'ils vêtissent

PLUS-QUE-PARFAIT
: que j'eusse vêtu
: que tu eusses vêtu
: qu'il eût vêtu
: que nous eussions vêtu
: que vous eussiez vêtu
: qu'ils eussent vêtu

IMPÉRATIF

PRÉSENT
: vêts
: vêtons
: vêtez

PASSÉ
: aie vêtu
: ayons vêtu
: ayez vêtu

INFINITIF

PRÉSENT
: vêtir

PASSÉ
: avoir vêtu

PARTICIPE

PRÉSENT
: vêtant

PASSÉ
: vêtu
: ayant vêtu

GÉRONDIF

PRÉSENT
: en vêtant

PASSÉ
: en ayant vêtu

- **Dévêtir**, **survêtir** et **revêtir** se conjuguent sur ce modèle.
- Concurremment aux formes du présent de l'indicatif et de l'impératif de **vêtir** données par le tableau, on trouve également des formes conjuguées sur le modèle de **finir**.

  Cependant, dans les composés, les formes primitives sont seules admises : *il revêt, il revêtait, revêtant*.

couvrir

INDICATIF

PRÉSENT
je couvre
tu couvres
il couvre
nous couvrons
vous couvrez
ils couvrent

PASSÉ COMPOSÉ
j'ai couvert
tu as couvert
il a couvert
nous avons couvert
vous avez couvert
ils ont couvert

IMPARFAIT
je couvrais
tu couvrais
il couvrait
nous couvrions
vous couvriez
ils couvraient

PLUS-QUE-PARFAIT
j'avais couvert
tu avais couvert
il avait couvert
nous avions couvert
vous aviez couvert
ils avaient couvert

PASSÉ SIMPLE
je couvris
tu couvris
il couvrit
nous couvrîmes
vous couvrîtes
ils couvrirent

PASSÉ ANTÉRIEUR
j'eus couvert
tu eus couvert
il eut couvert
nous eûmes couvert
vous eûtes couvert
ils eurent couvert

FUTUR SIMPLE
je couvrirai
tu couvriras
il couvrira
nous couvrirons
vous couvrirez
ils couvriront

FUTUR ANTÉRIEUR
j'aurai couvert
tu auras couvert
il aura couvert
nous aurons couvert
vous aurez couvert
ils auront couvert

CONDITIONNEL

PRÉSENT
je couvrirais
tu couvrirais
il couvrirait
nous couvririons
vous couvririez
ils couvriraient

PASSÉ
j'aurais couvert
tu aurais couvert
il aurait couvert
nous aurions couvert
vous auriez couvert
ils auraient couvert

SUBJONCTIF

PRÉSENT
que je couvre
que tu couvres
qu'il couvre
que nous couvrions
que vous couvriez
qu'ils couvrent

PASSÉ
que j'aie couvert
que tu aies couvert
qu'il ait couvert
que nous ayons couvert
que vous ayez couvert
qu'ils aient couvert

IMPARFAIT
que je couvrisse
que tu couvrisses
qu'il couvrît
que nous couvrissions
que vous couvrissiez
qu'ils couvrissent

PLUS-QUE-PARFAIT
que j'eusse couvert
que tu eusses couvert
qu'il eût couvert
que nous eussions couvert
que vous eussiez couvert
qu'ils eussent couvert

IMPÉRATIF

PRÉSENT
couvre
couvrons
couvrez

PASSÉ
aie couvert
ayons couvert
ayez couvert

INFINITIF

PRÉSENT
couvrir

PASSÉ
avoir couvert

PARTICIPE

PRÉSENT
couvrant

PASSÉ
couvert
ayant couvert

GÉRONDIF

PRÉSENT
en couvrant

PASSÉ
en ayant couvert

- Ainsi se conjuguent **couvrir**, **ouvrir**, **souffrir** et leurs composés (→ tableau 23).
- Remarquer l'analogie des terminaisons du présent de l'indicatif, de l'impératif et du subjonctif avec celles des verbes du 1er groupe.

cueillir

INDICATIF

PRÉSENT
: je cueille
tu cueilles
il cueille
nous cueillons
vous cueillez
ils cueillent

PASSÉ COMPOSÉ
: j'ai cueilli
tu as cueilli
il a cueilli
nous avons cueilli
vous avez cueilli
ils ont cueilli

IMPARFAIT
: je cueillais
tu cueillais
il cueillait
nous cueillions
vous cueilliez
ils cueillaient

PLUS-QUE-PARFAIT
: j'avais cueilli
tu avais cueilli
il avait cueilli
nous avions cueilli
vous aviez cueilli
ils avaient cueilli

PASSÉ SIMPLE
: je cueillis
tu cueillis
il cueillit
nous cueillîmes
vous cueillîtes
ils cueillirent

PASSÉ ANTÉRIEUR
: j'eus cueilli
tu eus cueilli
il eut cueilli
nous eûmes cueilli
vous eûtes cueilli
ils eurent cueilli

FUTUR SIMPLE
: je cueillerai
tu cueilleras
il cueillera
nous cueillerons
vous cueillerez
ils cueilleront

FUTUR ANTÉRIEUR
: j'aurai cueilli
tu auras cueilli
il aura cueilli
nous aurons cueilli
vous aurez cueilli
ils auront cueilli

CONDITIONNEL

PRÉSENT
: je cueillerais
tu cueillerais
il cueillerait
nous cueillerions
vous cueilleriez
ils cueilleraient

PASSÉ
: j'aurais cueilli
tu aurais cueilli
il aurait cueilli
nous aurions cueilli
vous auriez cueilli
ils auraient cueilli

SUBJONCTIF

PRÉSENT
: que je cueille
: que tu cueilles
: qu'il cueille
: que nous cueillions
: que vous cueilliez
: qu'ils cueillent

PASSÉ
: que j'aie cueilli
: que tu aies cueilli
: qu'il ait cueilli
: que nous ayons cueilli
: que vous ayez cueilli
: qu'ils aient cueilli

IMPARFAIT
: que je cueillisse
: que tu cueillisses
: qu'il cueillît
: que nous cueillissions
: que vous cueillissiez
: qu'ils cueillissent

PLUS-QUE-PARFAIT
: que j'eusse cueilli
: que tu eusses cueilli
: qu'il eût cueilli
: que nous eussions cueilli
: que vous eussiez cueilli
: qu'ils eussent cueilli

IMPÉRATIF

PRÉSENT
: cueille
: cueillons
: cueillez

PASSÉ
: aie cueilli
: ayons cueilli
: ayez cueilli

INFINITIF

PRÉSENT
: cueillir

PASSÉ
: avoir cueilli

PARTICIPE

PRÉSENT
: cueillant

PASSÉ
: cueilli
: ayant cueilli

GÉRONDIF

PRÉSENT
: en cueillant

PASSÉ
: en ayant cueilli

- Se conjuguent sur ce modèle **accueillir** et **recueillir**.
- Remarquer l'analogie des terminaisons de ce verbe avec celles des verbes du 1ᵉʳ groupe, en particulier au futur et au conditionnel présent : *je cueillerai* comme *j'aimerai*. (Mais le passé simple est *je cueillis*, différent de *j'aimai*.)

assaillir

INDICATIF

PRÉSENT
: j'assaille
tu assailles
il assaille
nous assaillons
vous assaillez
ils assaillent

PASSÉ COMPOSÉ
: j'ai assailli
tu as assailli
il a assailli
nous avons assailli
vous avez assailli
ils ont assailli

IMPARFAIT
: j'assaillais
tu assaillais
il assaillait
nous assaillions
vous assailliez
ils assaillaient

PLUS-QUE-PARFAIT
: j'avais assailli
tu avais assailli
il avait assailli
nous avions assailli
vous aviez assailli
ils avaient assailli

PASSÉ SIMPLE
: j'assaillis
tu assaillis
il assaillit
nous assaillîmes
vous assaillîtes
ils assaillirent

PASSÉ ANTÉRIEUR
: j'eus assailli
tu eus assailli
il eut assailli
nous eûmes assailli
vous eûtes assailli
ils eurent assailli

FUTUR SIMPLE
: j'assaillirai
tu assailliras
il assaillira
nous assaillirons
vous assaillirez
ils assailliront

FUTUR ANTÉRIEUR
: j'aurai assailli
tu auras assailli
il aura assailli
nous aurons assailli
vous aurez assailli
ils auront assailli

CONDITIONNEL

PRÉSENT
: j'assaillirais
tu assaillirais
il assaillirait
nous assaillirions
vous assailliriez
ils assailliraient

PASSÉ
: j'aurais assailli
tu aurais assailli
il aurait assailli
nous aurions assailli
vous auriez assailli
ils auraient assailli

verbes en -aillir   3e GROUPE

SUBJONCTIF

PRÉSENT
: que j'assaille
: que tu assailles
: qu'il assaille
: que nous assaillions
: que vous assailliez
: qu'ils assaillent

PASSÉ
: que j'aie assailli
: que tu aies assailli
: qu'il ait assailli
: que nous ayons assailli
: que vous ayez assailli
: qu'ils aient assailli

IMPARFAIT
: que j'assaillisse
: que tu assaillisses
: qu'il assaillît
: que nous assaillissions
: que vous assaillissiez
: qu'ils assaillissent

PLUS-QUE-PARFAIT
: que j'eusse assailli
: que tu eusses assailli
: qu'il eût assailli
: que nous eussions assailli
: que vous eussiez assailli
: qu'ils eussent assailli

IMPÉRATIF

PRÉSENT
: assaille
: assaillons
: assaillez

PASSÉ
: aie assailli
: ayons assailli
: ayez assailli

INFINITIF

PRÉSENT
: assaillir

PASSÉ
: avoir assailli

PARTICIPE

PRÉSENT
: assaillant

PASSÉ
: assailli
: ayant assailli

GÉRONDIF

PRÉSENT
: en assaillant

PASSÉ
: en ayant assailli

• **Tressaillir** et **défaillir** se conjuguent sur ce modèle (→ note du tableau 32).

• **Saillir**, au sens de *sortir*, *s'élancer*, se conjugue sur le modèle d'**assaillir**.
  Saillir, au sens de *s'accoupler*, se conjugue sur le modèle de **finir**.

faillir

INDICATIF

PRÉSENT
: je *faux*
tu *faux*
il *faut*
nous *faillons*
vous *faillez*
ils *faillent*

PASSÉ COMPOSÉ
: j'ai failli
tu as failli
il a failli
nous avons failli
vous avez failli
ils ont failli

IMPARFAIT
: je *faillais*
tu *faillais*
il *faillait*
nous *faillions*
vous *failliez*
ils *faillaient*

PLUS-QUE-PARFAIT
: j'avais failli
tu avais failli
il avait failli
nous avions failli
vous aviez failli
ils avaient failli

PASSÉ SIMPLE
: je faillis
tu faillis
il faillit
nous faillîmes
vous faillîtes
ils faillirent

PASSÉ ANTÉRIEUR
: j'eus failli
tu eus failli
il eut failli
nous eûmes failli
vous eûtes failli
ils eurent failli

FUTUR SIMPLE
: je faillirai / *faudrai*
tu failliras / *faudras*
il faillira / *faudra*
nous faillirons / *faudrons*
vous faillirez / *faudrez*
ils failliront / *faudront*

FUTUR ANTÉRIEUR
: j'aurai failli
tu auras failli
il aura failli
nous aurons failli
vous aurez failli
ils auront failli

CONDITIONNEL

PRÉSENT
: je faillirais / *faudrais*
tu faillirais / *faudrais*
il faillirait / *faudrait*
nous faillirions / *faudrions*
vous failliriez / *faudriez*
ils failliraient / *faudraient*

PASSÉ
: j'aurais failli
tu aurais failli
il aurait failli
nous aurions failli
vous auriez failli
ils auraient failli

SUBJONCTIF

PRÉSENT
: que je faillisse / *faille*
: que tu faillisses / *failles*
: qu'il faillisse / *faille*
: que nous faillissions / *faillion*s
: que vous faillissiez / *failliez*
: qu'ils faillissent / *faillent*

PASSÉ
: que j'aie failli
: que tu aies failli
: qu'il ait failli
: que nous ayons failli
: que vous ayez failli
: qu'ils aient failli

IMPARFAIT
: que je *faillisse*
: que tu *faillisses*
: qu'il *faillît*
: que nous *faillissions*
: que vous *faillissiez*
: qu'ils *faillissent*

PLUS-QUE-PARFAIT
: que j'eusse failli
: que tu eusses failli
: qu'il eût failli
: que nous eussions failli
: que vous eussiez failli
: qu'ils eussent failli

IMPÉRATIF

PRÉSENT

PASSÉ

INFINITIF

PRÉSENT
: faillir

PASSÉ
: avoir failli

PARTICIPE

PRÉSENT
: faillant

PASSÉ
: failli
: ayant failli

GÉRONDIF

PRÉSENT
: en faillant

PASSÉ
: en ayant failli

- Le verbe **défaillir** se conjugue sur le modèle d'**assaillir** (→ tableau 31), mais certains temps sont moins employés.
- Les formes en italique sont tout à fait désuètes.

bouillir

INDICATIF

PRÉSENT
je bous
tu bous
il bout
nous bouillons
vous bouillez
ils bouillent

PASSÉ COMPOSÉ
j'ai bouilli
tu as bouilli
il a bouilli
nous avons bouilli
vous avez bouilli
ils ont bouilli

IMPARFAIT
je bouillais
tu bouillais
il bouillait
nous bouillions
vous bouilliez
ils bouillaient

PLUS-QUE-PARFAIT
j'avais bouilli
tu avais bouilli
il avait bouilli
nous avions bouilli
vous aviez bouilli
ils avaient bouilli

PASSÉ SIMPLE
je bouillis
tu bouillis
il bouillit
nous bouillîmes
vous bouillîtes
ils bouillirent

PASSÉ ANTÉRIEUR
j'eus bouilli
tu eus bouilli
il eut bouilli
nous eûmes bouilli
vous eûtes bouilli
ils eurent bouilli

FUTUR SIMPLE
je bouillirai
tu bouilliras
il bouillira
nous bouillirons
vous bouillirez
ils bouilliront

FUTUR ANTÉRIEUR
j'aurai bouilli
tu auras bouilli
il aura bouilli
nous aurons bouilli
vous aurez bouilli
ils auront bouilli

CONDITIONNEL

PRÉSENT
je bouillirais
tu bouillirais
il bouillirait
nous bouillirions
vous bouilliriez
ils bouilliraient

PASSÉ
j'aurais bouilli
tu aurais bouilli
il aurait bouilli
nous aurions bouilli
vous auriez bouilli
ils auraient bouilli

SUBJONCTIF

PRÉSENT
que je bouille
que tu bouilles
qu'il bouille
que nous bouillions
que vous bouilliez
qu'ils bouillent

PASSÉ
que j'aie bouilli
que tu aies bouilli
qu'il ait bouilli
que nous ayons bouilli
que vous ayez bouilli
qu'ils aient bouilli

IMPARFAIT
que je bouillisse
que tu bouillisses
qu'il bouillît
que nous bouillissions
que vous bouillissiez
qu'ils bouillissent

PLUS-QUE-PARFAIT
que j'eusse bouilli
que tu eusses bouilli
qu'il eût bouilli
que nous eussions bouilli
que vous eussiez bouilli
qu'ils eussent bouilli

IMPÉRATIF

PRÉSENT
bous
bouillons
bouillez

PASSÉ
aie bouilli
ayons bouilli
ayez bouilli

INFINITIF

PRÉSENT
bouillir

PASSÉ
avoir bouilli

PARTICIPE

PRÉSENT
bouillant

PASSÉ
bouilli
ayant bouilli

GÉRONDIF

PRÉSENT
en bouillant

PASSÉ
en ayant bouilli

dormir

INDICATIF

PRÉSENT
je dors
tu dors
il dort
nous dormons
vous dormez
ils dorment

PASSÉ COMPOSÉ
j'ai dormi
tu as dormi
il a dormi
nous avons dormi
vous avez dormi
ils ont dormi

IMPARFAIT
je dormais
tu dormais
il dormait
nous dormions
vous dormiez
ils dormaient

PLUS-QUE-PARFAIT
j'avais dormi
tu avais dormi
il avait dormi
nous avions dormi
vous aviez dormi
ils avaient dormi

PASSÉ SIMPLE
je dormis
tu dormis
il dormit
nous dormîmes
vous dormîtes
ils dormirent

PASSÉ ANTÉRIEUR
j'eus dormi
tu eus dormi
il eut dormi
nous eûmes dormi
vous eûtes dormi
ils eurent dormi

FUTUR SIMPLE
je dormirai
tu dormiras
il dormira
nous dormirons
vous dormirez
ils dormiront

FUTUR ANTÉRIEUR
j'aurai dormi
tu auras dormi
il aura dormi
nous aurons dormi
vous aurez dormi
ils auront dormi

CONDITIONNEL

PRÉSENT
je dormirais
tu dormirais
il dormirait
nous dormirions
vous dormiriez
ils dormiraient

PASSÉ
j'aurais dormi
tu aurais dormi
il aurait dormi
nous aurions dormi
vous auriez dormi
ils auraient dormi

SUBJONCTIF

PRÉSENT
: que je dorme
: que tu dormes
: qu'il dorme
: que nous dormions
: que vous dormiez
: qu'ils dorment

PASSÉ
: que j'aie dormi
: que tu aies dormi
: qu'il ait dormi
: que nous ayons dormi
: que vous ayez dormi
: qu'ils aient dormi

IMPARFAIT
: que je dormisse
: que tu dormisses
: qu'il dormît
: que nous dormissions
: que vous dormissiez
: qu'ils dormissent

PLUS-QUE-PARFAIT
: que j'eusse dormi
: que tu eusses dormi
: qu'il eût dormi
: que nous eussions dormi
: que vous eussiez dormi
: qu'ils eussent dormi

IMPÉRATIF

PRÉSENT
: dors
: dormons
: dormez

PASSÉ
: aie dormi
: ayons dormi
: ayez dormi

INFINITIF

PRÉSENT
: dormir

PASSÉ
: avoir dormi

PARTICIPE

PRÉSENT
: dormant

PASSÉ
: dormi
: ayant dormi

GÉRONDIF

PRÉSENT
: en dormant

PASSÉ
: en ayant dormi

• Se conjuguent sur ce modèle **endormir** et **rendormir**.

courir

INDICATIF

PRÉSENT
: je cours
tu cours
il court
nous courons
vous courez
ils courent

PASSÉ COMPOSÉ
: j'ai couru
tu as couru
il a couru
nous avons couru
vous avez couru
ils ont couru

IMPARFAIT
: je courais
tu courais
il courait
nous courions
vous couriez
ils couraient

PLUS-QUE-PARFAIT
: j'avais couru
tu avais couru
il avait couru
nous avions couru
vous aviez couru
ils avaient couru

PASSÉ SIMPLE
: je courus
tu courus
il courut
nous courûmes
vous courûtes
ils coururent

PASSÉ ANTÉRIEUR
: j'eus couru
tu eus couru
il eut couru
nous eûmes couru
vous eûtes couru
ils eurent couru

FUTUR SIMPLE
: je courrai
tu courras
il courra
nous courrons
vous courrez
ils courront

FUTUR ANTÉRIEUR
: j'aurai couru
tu auras couru
il aura couru
nous aurons couru
vous aurez couru
ils auront couru

CONDITIONNEL

PRÉSENT
: je courrais
tu courrais
il courrait
nous courrions
vous courriez
ils courraient

PASSÉ
: j'aurais couru
tu aurais couru
il aurait couru
nous aurions couru
vous auriez couru
ils auraient couru

SUBJONCTIF

PRÉSENT
que je coure
que tu coures
qu'il coure
que nous courions
que vous couriez
qu'ils courent

PASSÉ
que j'aie couru
que tu aies couru
qu'il ait couru
que nous ayons couru
que vous ayez couru
qu'ils aient couru

IMPARFAIT
que je courusse
que tu courusses
qu'il courût
que nous courussions
que vous courussiez
qu'ils courussent

PLUS-QUE-PARFAIT
que j'eusse couru
que tu eusses couru
qu'il eût couru
que nous eussions couru
que vous eussiez couru
qu'ils eussent couru

IMPÉRATIF

PRÉSENT
cours
courons
courez

PASSÉ
aie couru
ayons couru
ayez couru

INFINITIF

PRÉSENT
courir

PASSÉ
avoir couru

PARTICIPE

PRÉSENT
courant

PASSÉ
couru
ayant couru

GÉRONDIF

PRÉSENT
en courant

PASSÉ
en ayant couru

- Les composés de **courir** se conjuguent sur ce modèle (→ tableau 23).
- Remarquer les deux **r** : le premier **r** est celui du radical et le second est l'affixe du futur ou du conditionnel présent : *je courrai*, *je courrais*.

mourir

INDICATIF

PRÉSENT
- je meurs
- tu meurs
- il meurt
- nous mourons
- vous mourez
- ils meurent

PASSÉ COMPOSÉ
- je suis mort
- tu es mort
- il est mort
- nous sommes morts
- vous êtes morts
- ils sont morts

IMPARFAIT
- je mourais
- tu mourais
- il mourait
- nous mourions
- vous mouriez
- ils mouraient

PLUS-QUE-PARFAIT
- j'étais mort
- tu étais mort
- il était mort
- nous étions morts
- vous étiez morts
- ils étaient morts

PASSÉ SIMPLE
- je mourus
- tu mourus
- il mourut
- nous mourûmes
- vous mourûtes
- ils moururent

PASSÉ ANTÉRIEUR
- je fus mort
- tu fus mort
- il fut mort
- nous fûmes morts
- vous fûtes morts
- ils furent morts

FUTUR SIMPLE
- je mourrai
- tu mourras
- il mourra
- nous mourrons
- vous mourrez
- ils mourront

FUTUR ANTÉRIEUR
- je serai mort
- tu seras mort
- il sera mort
- nous serons morts
- vous serez morts
- ils seront morts

CONDITIONNEL

PRÉSENT
- je mourrais
- tu mourrais
- il mourrait
- nous mourrions
- vous mourriez
- ils mourraient

PASSÉ
- je serais mort
- tu serais mort
- il serait mort
- nous serions morts
- vous seriez morts
- ils seraient morts

SUBJONCTIF

PRÉSENT
que je meure
que tu meures
qu'il meure
que nous mourions
que vous mouriez
qu'ils meurent

PASSÉ
que je sois mort
que tu sois mort
qu'il soit mort
que nous soyons morts
que vous soyez morts
qu'ils soient morts

IMPARFAIT
que je mourusse
que tu mourusses
qu'il mourût
que nous mourussions
que vous mourussiez
qu'ils mourussent

PLUS-QUE-PARFAIT
que je fusse mort
que tu fusses mort
qu'il fût mort
que nous fussions morts
que vous fussiez morts
qu'ils fussent morts

IMPÉRATIF

PRÉSENT
meurs
mourons
mourez

PASSÉ
sois mort
soyons morts
soyez morts

INFINITIF

PRÉSENT
mourir

PASSÉ
être mort

PARTICIPE

PRÉSENT
mourant

PASSÉ
mort
étant mort

GÉRONDIF

PRÉSENT
en mourant

PASSÉ
en étant mort

- Remarquer le redoublement du **r** au futur et au conditionnel présent :
  je mourrai, *je mourrais*, et l'emploi de l'auxiliaire **être** dans les temps composés.
- À la forme pronominale, le verbe **se mourir** ne se conjugue qu'à l'indicatif présent et imparfait et au participe présent.

servir

INDICATIF

PRÉSENT
je sers
tu sers
il sert
nous servons
vous servez
ils servent

PASSÉ COMPOSÉ
j'ai servi
tu as servi
il a servi
nous avons servi
vous avez servi
ils ont servi

IMPARFAIT
je servais
tu servais
il servait
nous servions
vous serviez
ils servaient

PLUS-QUE-PARFAIT
j'avais servi
tu avais servi
il avait servi
nous avions servi
vous aviez servi
ils avaient servi

PASSÉ SIMPLE
je servis
tu servis
il servit
nous servîmes
vous servîtes
ils servirent

PASSÉ ANTÉRIEUR
j'eus servi
tu eus servi
il eut servi
nous eûmes servi
vous eûtes servi
ils eurent servi

FUTUR SIMPLE
je servirai
tu serviras
il servira
nous servirons
vous servirez
ils serviront

FUTUR ANTÉRIEUR
j'aurai servi
tu auras servi
il aura servi
nous aurons servi
vous aurez servi
ils auront servi

CONDITIONNEL

PRÉSENT
je servirais
tu servirais
il servirait
nous servirions
vous serviriez
ils serviraient

PASSÉ
j'aurais servi
tu aurais servi
il aurait servi
nous aurions servi
vous auriez servi
ils auraient servi

SUBJONCTIF

PRÉSENT
: que je serve
: que tu serves
: qu'il serve
: que nous servions
: que vous serviez
: qu'ils servent

PASSÉ
: que j'aie servi
: que tu aies servi
: qu'il ait servi
: que nous ayons servi
: que vous ayez servi
: qu'ils aient servi

IMPARFAIT
: que je servisse
: que tu servisses
: qu'il servît
: que nous servissions
: que vous servissiez
: qu'ils servissent

PLUS-QUE-PARFAIT
: que j'eusse servi
: que tu eusses servi
: qu'il eût servi
: que nous eussions servi
: que vous eussiez servi
: qu'ils eussent servi

IMPÉRATIF

PRÉSENT
: sers
: servons
: servez

PASSÉ
: aie servi
: ayons servi
: ayez servi

INFINITIF

PRÉSENT
: servir

PASSÉ
: avoir servi

PARTICIPE

PRÉSENT
: servant

PASSÉ
: servi
: ayant servi

GÉRONDIF

PRÉSENT
: en servant

PASSÉ
: en ayant servi

• **Desservir**, **resservir** se conjuguent sur ce modèle. Mais **asservir**
se conjugue sur **finir** (→ tableau 21).

fuir

INDICATIF

PRÉSENT
je fuis
tu fuis
il fuit
nous fuyons
vous fuyez
ils fuient

PASSÉ COMPOSÉ
j'ai fui
tu as fui
il a fui
nous avons fui
vous avez fui
ils ont fui

IMPARFAIT
je fuyais
tu fuyais
il fuyait
nous fuyions
vous fuyiez
ils fuyaient

PLUS-QUE-PARFAIT
j'avais fui
tu avais fui
il avait fui
nous avions fui
vous aviez fui
ils avaient fui

PASSÉ SIMPLE
je fuis
tu fuis
il fuit
nous fuîmes
vous fuîtes
ils fuirent

PASSÉ ANTÉRIEUR
j'eus fui
tu eus fui
il eut fui
nous eûmes fui
vous eûtes fui
ils eurent fui

FUTUR SIMPLE
je fuirai
tu fuiras
il fuira
nous fuirons
vous fuirez
ils fuiront

FUTUR ANTÉRIEUR
j'aurai fui
tu auras fui
il aura fui
nous aurons fui
vous aurez fui
ils auront fui

CONDITIONNEL

PRÉSENT
je fuirais
tu fuirais
il fuirait
nous fuirions
vous fuiriez
ils fuiraient

PASSÉ
j'aurais fui
tu aurais fui
il aurait fui
nous aurions fui
vous auriez fui
ils auraient fui

SUBJONCTIF

PRÉSENT
- que je fuie
- que tu fuies
- qu'il fuie
- que nous fuyions
- que vous fuyiez
- qu'ils fuient

PASSÉ
- que j'aie fui
- que tu aies fui
- qu'il ait fui
- que nous ayons fui
- que vous ayez fui
- qu'ils aient fui

IMPARFAIT
- que je fuisse
- que tu fuisses
- qu'il fuît
- que nous fuissions
- que vous fuissiez
- qu'ils fuissent

PLUS-QUE-PARFAIT
- que j'eusse fui
- que tu eusses fui
- qu'il eût fui
- que nous eussions fui
- que vous eussiez fui
- qu'ils eussent fui

IMPÉRATIF

PRÉSENT
- fuis
- fuyons
- fuyez

PASSÉ
- aie fui
- ayons fui
- ayez fui

INFINITIF

PRÉSENT
- fuir

PASSÉ
- avoir fui

PARTICIPE

PRÉSENT
- fuyant

PASSÉ
- fui
- ayant fui

GÉRONDIF

PRÉSENT
- en fuyant

PASSÉ
- en ayant fui

• **S'enfuir** se conjugue sur ce modèle.

ouïr

INDICATIF

PRÉSENT
: j'*ois*
: tu *ois*
: il *oit*
: nous *oyons*
: vous *oyez*
: ils *oient*

PASSÉ COMPOSÉ
: j'*ai ouï*
: tu *as ouï*
: il *a ouï*
: nous *avons ouï*
: vous *avez ouï*
: ils *ont ouï*

IMPARFAIT
: j'*oyais*
: tu *oyais*
: il *oyait*
: nous *oyions*
: vous *oyiez*
: ils *oyaient*

PLUS-QUE-PARFAIT
: j'*avais ouï*
: tu *avais ouï*
: il *avait ouï*
: nous *avions ouï*
: vous *aviez ouï*
: ils *avaient ouï*

PASSÉ SIMPLE
: j'*ouïs*
: tu *ouïs*
: il *ouït*
: nous *ouïmes*
: vous *ouïtes*
: ils *ouïrent*

PASSÉ ANTÉRIEUR
: j'*eus ouï*
: tu *eus ouï*
: il *eut ouï*
: nous *eûmes ouï*
: vous *eûtes ouï*
: ils *eurent ouï*

FUTUR SIMPLE
: j'*ouïrai* / j'*orrai* / j'*oirai*
: tu *ouïras* / *orras*
: il *ouïra* / *orra*
: nous *ouïrons* / *orrons*
: vous *ouïrez* / *orrez*
: ils *ouïront* / *orront*

FUTUR ANTÉRIEUR
: j'*aurai ouï*
: tu *auras ouï*
: il *aura ouï*
: nous *aurons ouï*
: vous *aurez ouï*
: ils *auront ouï*

CONDITIONNEL

PRÉSENT
: j'*ouïrais* / j'*orrais* / j'*oirais*
: tu *ouïrais* / *orrais*
: il *ouïrait* / *orrait*
: nous *ouïrions* / *orrions*
: vous *ouïriez* / *orriez*
: ils *ouïraient* / *orraient*

PASSÉ
: j'*aurais ouï*
: tu *aurais ouï*
: il *aurait ouï*
: nous *aurions ouï*
: vous *auriez ouï*
: ils *auraient ouï*

SUBJONCTIF

PRÉSENT	PASSÉ
que j'*oie*	que j'*aie ouï*
que tu *oies*	que tu *aies ouï*
qu'il *oie*	qu'il *ait ouï*
que nous *oyions*	que nous *ayons ouï*
que vous *oyiez*	que vous *ayez ouï*
qu'ils *oient*	qu'ils *aient ouï*

IMPARFAIT	PLUS-QUE-PARFAIT
que j'*ouïsse*	que j'*eusse ouï*
que tu *ouïsses*	que tu *eusses ouï*
qu'il *ouït*	qu'il *eût ouï*
que nous *ouïssions*	que nous *eussions ouï*
que vous *ouïssiez*	que vous *eussiez ouï*
qu'ils *ouïssent*	qu'ils *eussent ouï*

IMPÉRATIF

PRÉSENT	PASSÉ
ois	*aie ouï*
oyons	*ayons ouï*
oyez	*ayez ouï*

INFINITIF

PRÉSENT	PASSÉ
ouïr	*avoir ouï*

PARTICIPE

PRÉSENT	PASSÉ
oyant	*ouï*
	ayant ouï

GÉRONDIF

PRÉSENT	PASSÉ
en oyant	*en ayant ouï*

• Le verbe **ouïr** a définitivement cédé la place à **entendre**. Il n'est plus employé qu'à l'infinitif et dans l'expression « **par ouï-dire** ». La conjugaison archaïque est donnée ci-dessus en italique.
À noter le futur *j'ouïrai*, refait d'après l'infinitif sur le modèle de **sentir** (*je sentirai*).

gésir

INDICATIF

PRÉSENT
: je gis
: tu gis
: il gît
: nous gisons
: vous gisez
: ils gisent

PASSÉ COMPOSÉ

IMPARFAIT
: je gisais
: tu gisais
: il gisait
: nous gisions
: vous gisiez
: il gisaient

PLUS-QUE-PARFAIT

PASSÉ SIMPLE

PASSÉ ANTÉRIEUR

FUTUR SIMPLE

FUTUR ANTÉRIEUR

CONDITIONNEL

PRÉSENT

PASSÉ

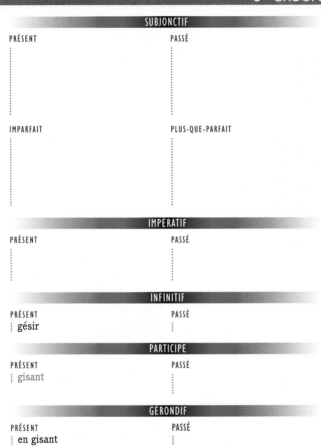

SUBJONCTIF

PRÉSENT

PASSÉ

IMPARFAIT

PLUS-QUE-PARFAIT

IMPÉRATIF

PRÉSENT

PASSÉ

INFINITIF

PRÉSENT
gésir

PASSÉ

PARTICIPE

PRÉSENT
gisant

PASSÉ

GÉRONDIF

PRÉSENT
en gisant

PASSÉ

• Ce verbe, qui signifie *être couché*, n'est plus d'usage qu'aux formes ci-dessus. On n'emploie guère le verbe **gésir** qu'en parlant de personnes malades ou mortes, et de choses renversées par le temps ou la destruction : *Nous gisions tous les deux sur le pavé d'un cachot, malades et privés de secours. Son cadavre gît maintenant dans le tombeau. Des colonnes gisant éparses* (Académie). *Cf.* l'inscription funéraire : *Ci-gît.*

recevoir

INDICATIF

PRÉSENT
: je reçois
: tu reçois
: il reçoit
: nous recevons
: vous recevez
: ils reçoivent

PASSÉ COMPOSÉ
: j'ai reçu
: tu as reçu
: il a reçu
: nous avons reçu
: vous avez reçu
: ils ont reçu

IMPARFAIT
: je recevais
: tu recevais
: il recevait
: nous recevions
: vous receviez
: ils recevaient

PLUS-QUE-PARFAIT
: j'avais reçu
: tu avais reçu
: il avait reçu
: nous avions reçu
: vous aviez reçu
: ils avaient reçu

PASSÉ SIMPLE
: je reçus
: tu reçus
: il reçut
: nous reçûmes
: vous reçûtes
: ils reçurent

PASSÉ ANTÉRIEUR
: j'eus reçu
: tu eus reçu
: il eut reçu
: nous eûmes reçu
: vous eûtes reçu
: ils eurent reçu

FUTUR SIMPLE
: je recevrai
: tu recevras
: il recevra
: nous recevrons
: vous recevrez
: ils recevront

FUTUR ANTÉRIEUR
: j'aurai reçu
: tu auras reçu
: il aura reçu
: nous aurons reçu
: vous aurez reçu
: ils auront reçu

CONDITIONNEL

PRÉSENT
: je recevrais
: tu recevrais
: il recevrait
: nous recevrions
: vous recevriez
: ils recevraient

PASSÉ
: j'aurais reçu
: tu aurais reçu
: il aurait reçu
: nous aurions reçu
: vous auriez reçu
: ils auraient reçu

SUBJONCTIF

PRÉSENT
: que je reçoive
: que tu reçoives
: qu'il reçoive
: que nous recevions
: que vous receviez
: qu'ils reçoivent

PASSÉ
: que j'aie reçu
: que tu aies reçu
: qu'il ait reçu
: que nous ayons reçu
: que vous ayez reçu
: qu'ils aient reçu

IMPARFAIT
: que je reçusse
: que tu reçusses
: qu'il reçût
: que nous reçussions
: que vous reçussiez
: qu'ils reçussent

PLUS-QUE-PARFAIT
: que j'eusse reçu
: que tu eusses reçu
: qu'il eût reçu
: que nous eussions reçu
: que vous eussiez reçu
: qu'ils eussent reçu

IMPÉRATIF

PRÉSENT
: reçois
: recevons
: recevez

PASSÉ
: aie reçu
: ayons reçu
: ayez reçu

INFINITIF

PRÉSENT
: recevoir

PASSÉ
: avoir reçu

PARTICIPE

PRÉSENT
: recevant

PASSÉ
: reçu
: ayant reçu

GÉRONDIF

PRÉSENT
: en recevant

PASSÉ
: en ayant reçu

- La cédille est placée sous le **c** chaque fois qu'il précède un **o** ou un **u**.
- **Apercevoir**, **concevoir**, **décevoir**, **percevoir** se conjuguent sur ce modèle.

voir

INDICATIF

PRÉSENT	PASSÉ COMPOSÉ
je vois	j'ai vu
tu vois	tu as vu
il voit	il a vu
nous voyons	nous avons vu
vous voyez	vous avez vu
ils voient	ils ont vu

IMPARFAIT	PLUS-QUE-PARFAIT
je voyais	j'avais vu
tu voyais	tu avais vu
il voyait	il avait vu
nous voyions	nous avions vu
vous voyiez	vous aviez vu
ils voyaient	ils avaient vu

PASSÉ SIMPLE	PASSÉ ANTÉRIEUR
je vis	j'eus vu
tu vis	tu eus vu
il vit	il eut vu
nous vîmes	nous eûmes vu
vous vîtes	vous eûtes vu
ils virent	ils eurent vu

FUTUR SIMPLE	FUTUR ANTÉRIEUR
je verrai	j'aurai vu
tu verras	tu auras vu
il verra	il aura vu
nous verrons	nous aurons vu
vous verrez	vous aurez vu
ils verront	ils auront vu

CONDITIONNEL

PRÉSENT	PASSÉ
je verrais	j'aurais vu
tu verrais	tu aurais vu
il verrait	il aurait vu
nous verrions	nous aurions vu
vous verriez	vous auriez vu
ils verraient	ils auraient vu

SUBJONCTIF

PRÉSENT
que je voie
que tu voies
qu'il voie
que nous voyions
que vous voyiez
qu'ils voient

PASSÉ
que j'aie vu
que tu aies vu
qu'il ait vu
que nous ayons vu
que vous ayez vu
qu'ils aient vu

IMPARFAIT
que je visse
que tu visses
qu'il vît
que nous vissions
que vous vissiez
qu'ils vissent

PLUS-QUE-PARFAIT
que j'eusse vu
que tu eusses vu
qu'il eût vu
que nous eussions vu
que vous eussiez vu
qu'ils eussent vu

IMPÉRATIF

PRÉSENT
vois
voyons
voyez

PASSÉ
aie vu
ayons vu
ayez vu

INFINITIF

PRÉSENT
voir

PASSÉ
avoir vu

PARTICIPE

PRÉSENT
voyant

PASSÉ
vu
ayant vu

GÉRONDIF

PRÉSENT
en voyant

PASSÉ
en ayant vu

- Remarquer le redoublement du **r** au futur et au conditionnel présent :
  je verrai, je verrais.
- **Entrevoir**, **revoir**, **prévoir** se conjuguent sur ce modèle. **Prévoir** fait
  au futur et au conditionnel présent : *je prévoirai, je prévoirais.*

pourvoir

INDICATIF

PRÉSENT
: je pourvois
: tu pourvois
: il pourvoit
: nous pourvoyons
: vous pourvoyez
: ils pourvoient

PASSÉ COMPOSÉ
: j'ai pourvu
: tu as pourvu
: il a pourvu
: nous avons pourvu
: vous avez pourvu
: ils ont pourvu

IMPARFAIT
: je pourvoyais
: tu pourvoyais
: il pourvoyait
: nous pourvoyions
: vous pourvoyiez
: ils pourvoyaient

PLUS-QUE-PARFAIT
: j'avais pourvu
: tu avais pourvu
: il avait pourvu
: nous avions pourvu
: vous aviez pourvu
: ils avaient pourvu

PASSÉ SIMPLE
: je pourvus
: tu pourvus
: il pourvut
: nous pourvûmes
: vous pourvûtes
: ils pourvurent

PASSÉ ANTÉRIEUR
: j'eus pourvu
: tu eus pourvu
: il eut pourvu
: nous eûmes pourvu
: vous eûtes pourvu
: ils eurent pourvu

FUTUR SIMPLE
: je pourvoirai
: tu pourvoiras
: il pourvoira
: nous pourvoirons
: vous pourvoirez
: ils pourvoiront

FUTUR ANTÉRIEUR
: j'aurai pourvu
: tu auras pourvu
: il aura pourvu
: nous aurons pourvu
: vous aurez pourvu
: ils auront pourvu

CONDITIONNEL

PRÉSENT
: je pourvoirais
: tu pourvoirais
: il pourvoirait
: nous pourvoirions
: vous pourvoiriez
: ils pourvoiraient

PASSÉ
: j'aurais pourvu
: tu aurais pourvu
: il aurait pourvu
: nous aurions pourvu
: vous auriez pourvu
: ils auraient pourvu

SUBJONCTIF

PRÉSENT

que je pourvoie
que tu pourvoies
qu'il pourvoie
que nous pourvoyions
que vous pourvoyiez
qu'ils pourvoient

PASSÉ

que j'aie pourvu
que tu aies pourvu
qu'il ait pourvu
que nous ayons pourvu
que vous ayez pourvu
qu'ils aient pourvu

IMPARFAIT

que je pourvusse
que tu pourvusses
qu'il pourvût
que nous pourvussions
que vous pourvussiez
qu'ils pourvussent

PLUS-QUE-PARFAIT

que j'eusse pourvu
que tu eusses pourvu
qu'il eût pourvu
que nous eussions pourvu
que vous eussiez pourvu
qu'ils eussent pourvu

IMPERATIF

PRÉSENT

pourvois
pourvoyons
pourvoyez

PASSÉ

aie pourvu
ayons pourvu
ayez pourvu

INFINITIF

PRÉSENT

pourvoir

PASSÉ

avoir pourvu

PARTICIPE

PRÉSENT

pourvoyant

PASSÉ

pourvu
ayant pourvu

GERONDIF

PRÉSENT

en pourvoyant

PASSÉ

en ayant pourvu

- **Pourvoir** se conjugue comme le verbe simple **voir** (→ tableau 42), sauf au futur et au conditionnel présent : *je pourvoirai*, *je pourvoirais* ; au passé simple et au subjonctif imparfait : *je pourvus*, *que je pourvusse*.
- **Dépourvoir** s'emploie rarement. On l'utilise surtout avec une construction pronominale : *Je me suis dépourvu de tout*.

savoir

INDICATIF

PRÉSENT
je sais
tu sais
il sait
nous savons
vous savez
ils savent

PASSÉ COMPOSÉ
j'ai su
tu as su
il a su
nous avons su
vous avez su
ils ont su

IMPARFAIT
je savais
tu savais
il savait
nous savions
vous saviez
ils savaient

PLUS-QUE-PARFAIT
j'avais su
tu avais su
il avait su
nous avions su
vous aviez su
ils avaient su

PASSÉ SIMPLE
je sus
tu sus
il sut
nous sûmes
vous sûtes
ils surent

PASSÉ ANTÉRIEUR
j'eus su
tu eus su
il eut su
nous eûmes su
vous eûtes su
ils eurent su

FUTUR SIMPLE
je saurai
tu sauras
il saura
nous saurons
vous saurez
ils sauront

FUTUR ANTÉRIEUR
j'aurai su
tu auras su
il aura su
nous aurons su
vous aurez su
ils auront su

CONDITIONNEL

PRÉSENT
je saurais
tu saurais
il saurait
nous saurions
vous sauriez
ils sauraient

PASSÉ
j'aurais su
tu aurais su
il aurait su
nous aurions su
vous auriez su
ils auraient su

SUBJONCTIF

PRÉSENT
: que je sache
: que tu saches
: qu'il sache
: que nous sachions
: que vous sachiez
: qu'ils sachent

PASSÉ
: que j'aie su
: que tu aies su
: qu'il ait su
: que nous ayons su
: que vous ayez su
: qu'ils aient su

IMPARFAIT
: que je susse
: que tu susses
: qu'il sût
: que nous sussions
: que vous sussiez
: qu'ils sussent

PLUS-QUE-PARFAIT
: que j'eusse su
: que tu eusses su
: qu'il eût su
: que nous eussions su
: que vous eussiez su
: qu'ils eussent su

IMPÉRATIF

PRÉSENT
: sache
: sachons
: sachez

PASSÉ
: aie su
: ayons su
: ayez su

INFINITIF

PRÉSENT
: savoir

PASSÉ
: avoir su

PARTICIPE

PRÉSENT
: sachant

PASSÉ
: su
: ayant su

GÉRONDIF

PRÉSENT
: en sachant

PASSÉ
: en ayant su

• À noter l'emploi archaïsant du subjonctif dans les expressions :
Je ne sache pas qu'il soit venu ; il n'est pas venu, que je sache.

devoir

INDICATIF

PRÉSENT
: je dois
: tu dois
: il doit
: nous devons
: vous devez
: ils doivent

PASSÉ COMPOSÉ
: j'ai dû
: tu as dû
: il a dû
: nous avons dû
: vous avez dû
: ils ont dû

IMPARFAIT
: je devais
: tu devais
: il devait
: nous devions
: vous deviez
: ils devaient

PLUS-QUE-PARFAIT
: j'avais dû
: tu avais dû
: il avait dû
: nous avions dû
: vous aviez dû
: ils avaient dû

PASSÉ SIMPLE
: je dus
: tu dus
: il dut
: nous dûmes
: vous dûtes
: ils durent

PASSÉ ANTÉRIEUR
: j'eus dû
: tu eus dû
: il eut dû
: nous eûmes dû
: vous eûtes dû
: ils eurent dû

FUTUR SIMPLE
: je devrai
: tu devras
: il devra
: nous devrons
: vous devrez
: ils devront

FUTUR ANTÉRIEUR
: j'aurai dû
: tu auras dû
: il aura dû
: nous aurons dû
: vous aurez dû
: ils auront dû

CONDITIONNEL

PRÉSENT
: je devrais
: tu devrais
: il devrait
: nous devrions
: vous devriez
: ils devraient

PASSÉ
: j'aurais dû
: tu aurais dû
: il aurait dû
: nous aurions dû
: vous auriez dû
: ils auraient dû

SUBJONCTIF

PRÉSENT
: que je doive
: que tu doives
: qu'il doive
: que nous devions
: que vous deviez
: qu'ils doivent

PASSÉ
: que j'aie dû
: que tu aies dû
: qu'il ait dû
: que nous ayons dû
: que vous ayez dû
: qu'ils aient dû

IMPARFAIT
: que je dusse
: que tu dusses
: qu'il dût
: que nous dussions
: que vous dussiez
: qu'ils dussent

PLUS-QUE-PARFAIT
: que j'eusse dû
: que tu eusses dû
: qu'il eût dû
: que nous eussions dû
: que vous eussiez dû
: qu'ils eussent dû

IMPÉRATIF

PRÉSENT
: dois
: devons
: devez

PASSÉ
: aie dû
: ayons dû
: ayez dû

INFINITIF

PRÉSENT
: devoir

PASSÉ
: avoir dû

PARTICIPE

PRÉSENT
: devant

PASSÉ
: dû
: ayant dû

GÉRONDIF

PRÉSENT
: en devant

PASSÉ
: en ayant dû

- **Redevoir** se conjugue sur ce modèle.
- **Devoir** et **redevoir** prennent un accent circonflexe au participe passé masculin singulier seulement : *dû*, *redû*. Mais on écrit sans accent : *due*, *dus*, *dues*, *redue*, *redus*, *redues*. L'impératif est peu employé.

pouvoir

INDICATIF

PRÉSENT
: je peux / puis
: tu peux
: il peut
: nous pouvons
: vous pouvez
: ils peuvent

PASSÉ COMPOSÉ
: j'ai pu
: tu as pu
: il a pu
: nous avons pu
: vous avez pu
: ils ont pu

IMPARFAIT
: je pouvais
: tu pouvais
: il pouvait
: nous pouvions
: vous pouviez
: ils pouvaient

PLUS-QUE-PARFAIT
: j'avais pu
: tu avais pu
: il avait pu
: nous avions pu
: vous aviez pu
: ils avaient pu

PASSÉ SIMPLE
: je pus
: tu pus
: il put
: nous pûmes
: vous pûtes
: ils purent

PASSÉ ANTÉRIEUR
: j'eus pu
: tu eus pu
: il eut pu
: nous eûmes pu
: vous eûtes pu
: ils eurent pu

FUTUR SIMPLE
: je pourrai
: tu pourras
: il pourra
: nous pourrons
: vous pourrez
: ils pourront

FUTUR ANTÉRIEUR
: j'aurai pu
: tu auras pu
: il aura pu
: nous aurons pu
: vous aurez pu
: ils auront pu

CONDITIONNEL

PRÉSENT
: je pourrais
: tu pourrais
: il pourrait
: nous pourrions
: vous pourriez
: ils pourraient

PASSÉ
: j'aurais pu
: tu aurais pu
: il aurait pu
: nous aurions pu
: vous auriez pu
: ils auraient pu

SUBJONCTIF

PRÉSENT
: que je puisse
que tu puisses
qu'il puisse
que nous puissions
que vous puissiez
: qu'ils puissent

PASSÉ
: que j'aie pu
que tu aies pu
qu'il ait pu
que nous ayons pu
que vous ayez pu
: qu'ils aient pu

IMPARFAIT
: que je pusse
que tu pusses
qu'il pût
que nous pussions
que vous pussiez
: qu'ils pussent

PLUS-QUE-PARFAIT
: que j'eusse pu
que tu eusses pu
qu'il eût pu
que nous eussions pu
que vous eussiez pu
: qu'ils eussent pu

IMPÉRATIF

PRÉSENT

PASSÉ

INFINITIF

PRÉSENT
: pouvoir

PASSÉ
: avoir pu

PARTICIPE

PRÉSENT
: pouvant

PASSÉ
: pu
: ayant pu

GÉRONDIF

PRÉSENT
: en pouvant

PASSÉ
: en ayant pu

- Le verbe **pouvoir** prend deux **r** au futur et au présent du conditionnel, mais, à la différence de **mourir** et **courir**, on n'en prononce qu'un.
- *Je puis* est d'un emploi plus distingué que *je peux*. Dans une phrase interrogative, on ne dit pas : *peux-je ?* mais *puis-je ?*
- *Il se peut que* se dit pour *il peut se faire que* au sens de *il peut arriver que, il est possible que*, et cette formule se construit alors normalement avec le subjonctif.

mouvoir

INDICATIF

PRÉSENT
je meus
tu meus
il meut
nous mouvons
vous mouvez
ils meuvent

PASSÉ COMPOSÉ
j'ai mû / mu
tu as mû / mu
il a mû / mu
nous avons mû / mu
vous avez mû / mu
ils ont mû / mu

IMPARFAIT
je mouvais
tu mouvais
il mouvait
nous mouvions
vous mouviez
ils mouvaient

PLUS-QUE-PARFAIT
j'avais mû / mu
tu avais mû / mu
il avait mû / mu
nous avions mû / mu
vous aviez mû / mu
ils avaient mû / mu

PASSÉ SIMPLE
je mus
tu mus
il mut
nous mûmes
vous mûtes
ils murent

PASSÉ ANTÉRIEUR
j'eus mû / mu
tu eus mû / mu
il eut mû / mu
nous eûmes mû / mu
vous eûtes mû / mu
ils eurent mû / mu

FUTUR SIMPLE
je mouvrai
tu mouvras
il mouvra
nous mouvrons
vous mouvrez
ils mouvront

FUTUR ANTÉRIEUR
j'aurai mû / mu
tu auras mû / mu
il aura mû / mu
nous aurons mû / mu
vous aurez mû / mu
ils auront mû / mu

CONDITIONNEL

PRÉSENT
je mouvrais
tu mouvrais
il mouvrait
nous mouvrions
vous mouvriez
ils mouvraient

PASSÉ
j'aurais mû / mu
tu aurais mû / mu
il aurait mû / mu
nous aurions mû / mu
vous auriez mû / mu
ils auraient mû / mu

SUBJONCTIF

PRÉSENT
: que je meuve
: que tu meuves
: qu'il meuve
: que nous mouvions
: que vous mouviez
: qu'ils meuvent

PASSÉ
: que j'aie mû / mu
: que tu aies mû / mu
: qu'il ait mû / mu
: que nous ayons mû / mu
: que vous ayez mû / mu
: qu'ils aient mû / mu

IMPARFAIT
: que je musse
: que tu musses
: qu'il mût
: que nous mussions
: que vous mussiez
: qu'ils mussent

PLUS-QUE-PARFAIT
: que j'eusse mû / mu
: que tu eusses mû / mu
: qu'il eût mû / mu
: que nous eussions mû / mu
: que vous eussiez mû / mu
: qu'ils eussent mû / mu

IMPÉRATIF

PRÉSENT
: meus
: mouvons
: mouvez

PASSÉ
: aie mû / mu
: ayons mû / mu
: ayez mû / mu

INFINITIF

PRÉSENT
: mouvoir

PASSÉ
: avoir mû / mu

PARTICIPE

PRÉSENT
: mouvant

PASSÉ
: mû
: ayant mû / mu

GÉRONDIF

PRÉSENT
: en mouvant

PASSÉ
: en ayant mû / mu

- Les rectifications orthographiques de 1990 acceptent *mu* (sans accent circonflexe).
- **Émouvoir** se conjugue sur **mouvoir**, mais son participe passé *ému* ne prend pas d'accent circonflexe.
- **Promouvoir** se conjugue comme **mouvoir**, mais son participe passé *promu* ne prend pas d'accent circonflexe au masculin singulier.

pleuvoir

INDICATIF

PRÉSENT	PASSÉ COMPOSÉ
il pleut	il a plu

IMPARFAIT	PLUS-QUE-PARFAIT
il pleuvait	il avait plu

PASSÉ SIMPLE	PASSÉ ANTÉRIEUR
il plut	il eut plu

FUTUR SIMPLE	FUTUR ANTÉRIEUR
il pleuvra	il aura plu

CONDITIONNEL

PRÉSENT	PASSÉ
il pleuvrait	il aurait plu

SUBJONCTIF

PRÉSENT	PASSÉ
qu'il pleuve	qu'il ait plu

IMPARFAIT	PLUS-QUE-PARFAIT
qu'il plût	qu'il eût plu

IMPÉRATIF

PRÉSENT	PASSÉ

INFINITIF

PRÉSENT	PASSÉ
pleuvoir	avoir plu

PARTICIPE

PRÉSENT	PASSÉ
pleuvant	plu
	ayant plu

GÉRONDIF

PRÉSENT	PASSÉ

- Quoique impersonnel, ce verbe s'emploie au pluriel, mais dans le sens figuré : *Les coups de fusil pleuvent, les sarcasmes pleuvent sur lui, les honneurs pleuvaient sur sa personne.* De même, son participe présent ne s'emploie qu'au sens figuré : *les coups pleuvant sur lui.*

falloir

INDICATIF

PRÉSENT	PASSÉ COMPOSÉ
il faut	il a fallu

IMPARFAIT	PLUS-QUE-PARFAIT
il fallait	il avait fallu

PASSÉ SIMPLE	PASSÉ ANTÉRIEUR
il fallut	il eut fallu

FUTUR SIMPLE	FUTUR ANTÉRIEUR
il faudra	il aura fallu

CONDITIONNEL

PRÉSENT	PASSÉ
il faudrait	il aurait fallu

SUBJONCTIF	
PRÉSENT	PASSÉ
qu'il faille	qu'il ait fallu
IMPARFAIT	PLUS-QUE-PARFAIT
qu'il fallût	qu'il eût fallu

IMPÉRATIF	
PRÉSENT	PASSÉ

INFINITIF	
PRÉSENT	PASSÉ
falloir	

PARTICIPE	
PRÉSENT	PASSÉ
	fallu
	ayant fallu

GÉRONDIF	
PRÉSENT	PASSÉ

• Dans les expressions : *il s'en faut de beaucoup, tant s'en faut, peu s'en faut,* historiquement la forme **faut** vient non de **falloir**, mais de **faillir**, au sens de *manquer, faire défaut* (→ tableau 32).

valoir

INDICATIF

PRÉSENT
je vaux
tu vaux
il vaut
nous valons
vous valez
ils valent

PASSÉ COMPOSÉ
j'ai valu
tu as valu
il a valu
nous avons valu
vous avez valu
ils ont valu

IMPARFAIT
je valais
tu valais
il valait
nous valions
vous valiez
ils valaient

PLUS-QUE-PARFAIT
j'avais valu
tu avais valu
il avait valu
nous avions valu
vous aviez valu
ils avaient valu

PASSÉ SIMPLE
je valus
tu valus
il valut
nous valûmes
vous valûtes
ils valurent

PASSÉ ANTÉRIEUR
j'eus valu
tu eus valu
il eut valu
nous eûmes valu
vous eûtes valu
ils eurent valu

FUTUR SIMPLE
je vaudrai
tu vaudras
il vaudra
nous vaudrons
vous vaudrez
ils vaudront

FUTUR ANTÉRIEUR
j'aurai valu
tu auras valu
il aura valu
nous aurons valu
vous aurez valu
ils auront valu

CONDITIONNEL

PRÉSENT
je vaudrais
tu vaudrais
il vaudrait
nous vaudrions
vous vaudriez
ils vaudraient

PASSÉ
j'aurais valu
tu aurais valu
il aurait valu
nous aurions valu
vous auriez valu
ils auraient valu

SUBJONCTIF

PRÉSENT
: que je vaille
: que tu vailles
: qu'il vaille
: que nous valions
: que vous valiez
: qu'ils vaillent

PASSÉ
: que j'aie valu
: que tu aies valu
: qu'il ait valu
: que nous ayons valu
: que vous ayez valu
: qu'ils aient valu

IMPARFAIT
: que je valusse
: que tu valusses
: qu'il valût
: que nous valussions
: que vous valussiez
: qu'ils valussent

PLUS-QUE-PARFAIT
: que j'eusse valu
: que tu eusses valu
: qu'il eût valu
: que nous eussions valu
: que vous eussiez valu
: qu'ils eussent valu

IMPÉRATIF

PRÉSENT
: vaux
: valons
: valez

PASSÉ
: aie valu
: ayons valu
: ayez valu

INFINITIF

PRÉSENT
: valoir

PASSÉ
: avoir valu

PARTICIPE

PRÉSENT
: valant

PASSÉ
: valu
: ayant valu

GÉRONDIF

PRÉSENT
: en valant

PASSÉ
: en ayant valu

• Se conjuguent sur ce modèle **équivaloir**, **prévaloir**, **revaloir**, mais
au subjonctif présent, **prévaloir** fait : *que je prévale, que nous prévalions.*
Il ne faut pas que la coutume prévale sur la raison (Ac.). À la forme
pronominale, le participe passé s'accorde : *Elle s'est prévalue de ses droits.*

vouloir

INDICATIF

PRÉSENT
: je veux
: tu veux
: il veut
: nous voulons
: vous voulez
: ils veulent

PASSÉ COMPOSÉ
: j'ai voulu
: tu as voulu
: il a voulu
: nous avons voulu
: vous avez voulu
: ils ont voulu

IMPARFAIT
: je voulais
: tu voulais
: il voulait
: nous voulions
: vous vouliez
: ils voulaient

PLUS-QUE-PARFAIT
: j'avais voulu
: tu avais voulu
: il avait voulu
: nous avions voulu
: vous aviez voulu
: ils avaient voulu

PASSÉ SIMPLE
: je voulus
: tu voulus
: il voulut
: nous voulûmes
: vous voulûtes
: ils voulurent

PASSÉ ANTÉRIEUR
: j'eus voulu
: tu eus voulu
: il eut voulu
: eus eûmes voulu
: vous eûtes voulu
: ils eurent voulu

FUTUR SIMPLE
: je voudrai
: tu voudras
: il voudra
: nous voudrons
: vous voudrez
: ils voudront

FUTUR ANTÉRIEUR
: j'aurai voulu
: tu auras voulu
: il aura voulu
: nous aurons voulu
: vous aurez voulu
: ils auront voulu

CONDITIONNEL

PRÉSENT
: je voudrais
: tu voudrais
: il voudrait
: nous voudrions
: vous voudriez
: ils voudraient

PASSÉ
: j'aurais voulu
: tu aurais voulu
: il aurait voulu
: nous aurions voulu
: vous auriez voulu
: ils auraient voulu

SUBJONCTIF

PRÉSENT
: que je veuille
: que tu veuilles
: qu'il veuille
: que nous voulions
: que vous vouliez
: qu'ils veuillent

PASSÉ
: que j'aie voulu
: que tu aies voulu
: qu'il ait voulu
: que nous ayons voulu
: que vous ayez voulu
: qu'ils aient voulu

IMPARFAIT
: que je voulusse
: que tu voulusses
: qu'il voulût
: que nous voulussions
: que vous voulussiez
: qu'ils voulussent

PLUS-QUE-PARFAIT
: que j'eusse voulu
: que tu eusses voulu
: qu'il eût voulu
: que nous eussions voulu
: que vous eussiez voulu
: qu'ils eussent voulu

IMPÉRATIF

PRÉSENT
: veux / veuille
: voulons
: voulez / veuillez

PASSÉ
: aie voulu
: ayons voulu
: ayez voulu

INFINITIF

PRÉSENT
: vouloir

PASSÉ
: avoir voulu

PARTICIPE

PRÉSENT
: voulant

PASSÉ
: voulu
: ayant voulu

GÉRONDIF

PRÉSENT
: en voulant

PASSÉ
: en ayant voulu

asseoir / assoir

INDICATIF

PRÉSENT
j'assieds / assois
tu assieds / assois
il assied / assoit
nous asseyons / assoyons
vous asseyez / assoyez
ils asseyent / assoient

PASSÉ COMPOSÉ
j'ai assis
tu as assis
il a assis
nous avons assis
vous avez assis
ils ont assis

IMPARFAIT
j'asseyais / assoyais
tu asseyais / assoyais
il asseyait / assoyait
nous asseyions / assoyions
vous asseyiez / assoyiez
ils asseyaient / assoyaient

PLUS-QUE-PARFAIT
j'avais assis
tu avais assis
il avait assis
nous avions assis
vous aviez assis
ils avaient assis

PASSÉ SIMPLE
j'assis
tu assis
il assit
nous assîmes
vous assîtes
ils assirent

PASSÉ ANTÉRIEUR
j'eus assis
tu eus assis
il eut assit
nous eûmes assis
vous eûtes assis
ils eurent assis

FUTUR SIMPLE
j'assiérai / assoirai
tu assiéras / assoiras
il assiéra / assoira
nous assiérons / assoirons
vous assiérez / assoirez
ils assiéront / assoiront

FUTUR ANTÉRIEUR
j'aurai assis
tu auras assis
il aura assis
nous aurons assis
vous aurez assis
ils auront assis

CONDITIONNEL

PRÉSENT
j'assiérais / assoirais
tu assiérais / assoirais
il assiérait / assoirait
nous assiérions / assoirions
vous assiériez / assoiriez
ils assiéraient / assoiraient

PASSÉ
j'aurais assis
tu aurais assis
il aurait assis
nous aurions assis
vous auriez assis
ils auraient assis

SUBJONCTIF

PRÉSENT
: que j'asseye / assoie
: que tu asseyes / assoies
: qu'il asseye / assoie
: que nous asseyions / assoyions
: que vous asseyiez / assoyiez
: qu'ils asseyent / assoient

PASSÉ
: que j'aie assis
: que tu aies assis
: qu'il ait assis
: que nous ayons assis
: que vous ayez assis
: qu'ils aient assis

IMPARFAIT
: que j'assisse
: que tu assisses
: qu'il assît
: que nous assissions
: que vous assissiez
: qu'ils assissent

PLUS-QUE-PARFAIT
: que j'eusse assis
: que tu eusses assis
: qu'il eût assis
: que nous eussions assis
: que vous eussiez assis
: qu'ils eussent assis

IMPÉRATIF

PRÉSENT
: assieds / assois
: asseyons / assoyons
: asseyez / assoyez

PASSÉ
: aie assis
: ayons assis
: ayez assis

INFINITIF

PRÉSENT
: asseoir / assoir

PASSÉ
: avoir assis

PARTICIPE

PRÉSENT
: asseyant / assoyant

PASSÉ
: assis
: ayant assis

GÉRONDIF

PRÉSENT
: en asseyant / assoyant

PASSÉ
: en ayant assis

- Ce verbe se conjugue surtout à la forme pronominale : **s'asseoir**.
- Depuis les rectifications orthographiques de 1990, il est possible d'écrire **assoir** (sans **e**) au lieu d'**asseoir**.

seoir (convenir)

INDICATIF

PRÉSENT

il sied

ils siéent

PASSÉ COMPOSÉ

IMPARFAIT

il seyait

ils seyaient

PLUS-QUE-PARFAIT

PASSÉ SIMPLE

PASSÉ ANTÉRIEUR

FUTUR SIMPLE

il siéra

ils siéront

FUTUR ANTÉRIEUR

CONDITIONNEL

PRÉSENT

il siérait

ils siéraient

PASSÉ

SUBJONCTIF

PRÉSENT

qu'il siée

qu'ils siéent

PASSÉ

IMPARFAIT

PLUS-QUE-PARFAIT

IMPÉRATIF

PRÉSENT

PASSÉ

INFINITIF

PRÉSENT
seoir

PASSÉ

PARTICIPE

PRÉSENT
séant (seyant)

PASSÉ
sis

GÉRONDIF

PRÉSENT
en séant (en seyant)

PASSÉ

- Ce verbe n'a pas de temps composés.
- Le verbe **messeoir** se conjugue sur le modèle : *il messied, il méssiérait.*
  Depuis les rectifications orthographiques de 1990, il est possible d'écrire
  messoir (sans **e**).

surseoir / sursoir

INDICATIF

PRÉSENT
: je sursois
: tu sursois
: il sursoit
: nous sursoyons
: vous sursoyez
: ils sursoient

PASSÉ COMPOSÉ
: j'ai sursis
: tu as sursis
: il a sursis
: nous avons sursis
: vous avez sursis
: ils ont sursis

IMPARFAIT
: je sursoyais
: tu sursoyais
: il sursoyait
: nous sursoyions
: vous sursoyiez
: ils sursoyaient

PLUS-QUE-PARFAIT
: j'avais sursis
: tu avais sursis
: il avait sursis
: nous avions sursis
: vous aviez sursis
: ils avaient sursis

PASSÉ SIMPLE
: je sursis
: tu sursis
: il sursit
: nous sursîmes
: vous sursîtes
: ils sursirent

PASSÉ ANTÉRIEUR
: j'eus sursis
: tu eus sursis
: il eut sursis
: nous eûmes sursis
: vous eûtes sursis
: ils eurent sursis

FUTUR SIMPLE
: je surseoirai / sursoirai
: tu surseoiras / sursoiras
: il surseoira / sursoira
: nous surseoirons / sursoirons
: vous surseoirez / sursoirez
: ils surseoiront / sursoiront

FUTUR ANTÉRIEUR
: j'aurai sursis
: tu auras sursis
: il aura sursis
: nous aurons sursis
: vous aurez sursis
: ils auront sursis

CONDITIONNEL

PRÉSENT
: je surseoirais / sursoirais
: tu surseoirais / sursoirais
: il surseoirait / sursoirait
: nous surseoirions / sursoirions
: vous surseoiriez / sursoiriez
: ils surseoiraient / sursoiraient

PASSÉ
: j'aurais sursis
: tu aurais sursis
: il aurait sursis
: nous aurions sursis
: vous auriez sursis
: ils auraient sursis

SUBJONCTIF

PRÉSENT
: que je sursoie
: que tu sursoies
: qu'il sursoie
: que nous sursoyions
: que vous sursoyiez
: qu'ils sursoient

PASSÉ
: que j'aie sursis
: que tu aies sursis
: qu'il ait sursis
: que nous ayons sursis
: que vous ayez sursis
: qu'ils aient sursis

IMPARFAIT
: que je sursisse
: que tu sursisses
: qu'il sursît
: que nous sursissions
: que vous sursissiez
: qu'ils sursissent

PLUS-QUE-PARFAIT
: que j'eusse sursis
: que tu eusses sursis
: qu'il eût sursis
: que nous eussions sursis
: que vous eussiez sursis
: qu'ils eussent sursis

IMPÉRATIF

PRÉSENT
: sursois
: sursoyons
: sursoyez

PASSÉ
: aie sursis
: ayons sursis
: ayez sursis

INFINITIF

PRÉSENT
: surseoir / sursoir

PASSÉ
: avoir sursis

PARTICIPE

PRÉSENT
: sursoyant

PASSÉ
: sursis
: ayant sursis

GÉRONDIF

PRÉSENT
: en sursoyant

PASSÉ
: en ayant sursis

• Depuis les rectifications orthographiques de 1990, il est possible d'écrire **sursoir** (sans **e**) au lieu de **surseoir**.

déchoir

INDICATIF

PRÉSENT
je déchois
tu déchois
il déchoit / *déchet*
nous déchoyons
vous déchoyez
ils déchoient

PASSÉ COMPOSÉ
j'ai déchu
tu as déchu
il a déchu
nous avons déchu
vous avez déchu
ils ont déchu

IMPARFAIT

PLUS-QUE-PARFAIT
j'avais déchu
tu avais déchu
il avait déchu
nous avions déchu
vous aviez déchu
ils avaient déchu

PASSÉ SIMPLE
je déchus
tu déchus
il déchut
nous déchûmes
vous déchûtes
ils déchurent

PASSÉ ANTÉRIEUR
j'eus déchu
tu eus déchu
il eut déchu
nous eûmes déchu
vous eûtes déchu
ils eurent déchu

FUTUR SIMPLE
je déchoirai / *décherrai*
tu déchoiras / *décherras*
il déchoira / *décherra*
nous déchoirons / *décherrons*
vous déchoirez / *décherrez*
ils déchoiront / *décherront*

FUTUR ANTÉRIEUR
j'aurai déchu
tu auras déchu
il aura déchu
nous aurons déchu
vous aurez déchu
ils auront déchu

CONDITIONNEL

PRÉSENT
je déchoirais / *décherrais*
tu déchoirais / *décherrais*
il déchoirait / *décherrait*
nous déchoirions / *décherrions*
vous déchoiriez / *décherriez*
ils déchoiraient / *décherraient*

PASSÉ
j'aurais déchu
tu aurais déchu
il aurait déchu
nous aurions déchu
vous auriez déchu
ils auraient déchu

SUBJONCTIF

PRÉSENT
: que je déchoie
: que tu déchoies
: qu'il déchoie
: que nous déchoyions
: que vous déchoyiez
: qu'ils déchoient

PASSÉ
: que j'aie déchu
: que tu aies déchu
: qu'il ait déchu
: que nous ayons déchu
: que vous ayez déchu
: qu'ils aient déchu

IMPARFAIT
: que je déchusse
: que tu déchusses
: qu'il déchût
: que nous déchussions
: que vous déchussiez
: qu'ils déchussent

PLUS-QUE-PARFAIT
: que j'eusse déchu
: que tu eusses déchu
: qu'il eût déchu
: que nous eussions déchu
: que vous eussiez déchu
: qu'ils eussent déchu

IMPÉRATIF

PRÉSENT

PASSÉ

INFINITIF

PRÉSENT
: déchoir

PASSÉ
: avoir déchu

PARTICIPE

PRÉSENT

PASSÉ
: déchu
: ayant déchu

GÉRONDIF

PRÉSENT

PASSÉ
: en ayant déchu

- **Déchoir** utilise tantôt **être**, tantôt **avoir**, selon que l'on veut insister sur l'action ou sur son résultat : *Il a déchu rapidement. Il est définitivement déchu.*
- Les formes en italique sont tout à fait désuètes.
- Le verbe **choir**, sur lequel est formé **déchoir**, présente une conjugaison très proche. Mais la plupart de ses formes sont très désuètes (en particulier celles des temps simples).

échoir

INDICATIF

PRÉSENT	PASSÉ COMPOSÉ
il échoit / *échet*	il est échu
ils échoient / *échéent*	ils sont échus

IMPARFAIT	PLUS-QUE-PARFAIT
il échoyait	il était échu
ils échoyaient	ils étaient échus

PASSÉ SIMPLE	PASSÉ ANTÉRIEUR
il échut	il fut échu
ils échurent	ils furent échus

FUTUR SIMPLE	FUTUR ANTÉRIEUR
il échoira / *écherra*	il sera échu
ils échoiront / *écherront*	ils seront échus

CONDITIONNEL

PRÉSENT	PASSÉ
il échoirait / *écherrait*	il serait échu
ils échoiraient / *écherraient*	ils seraient échus

SUBJONCTIF

PRÉSENT	PASSÉ
qu'il échoie	qu'il soit échu
	qu'ils soient échus

IMPARFAIT	PLUS-QUE-PARFAIT
qu'il échût	qu'il fût échu
	qu'ils fussent échus

IMPÉRATIF

PRÉSENT	PASSÉ

INFINITIF

PRÉSENT	PASSÉ
échoir	être échu

PARTICIPE

PRÉSENT	PASSÉ
échéant	échu
	étant échu

GÉRONDIF

PRÉSENT	PASSÉ
en échéant	en étant échu

• Les formes en italique sont tout à fait désuètes.

rompre

INDICATIF

PRÉSENT
je romps
tu romps
il rompt
nous rompons
vous rompez
ils rompent

PASSÉ COMPOSÉ
j'ai rompu
tu as rompu
il a rompu
nous avons rompu
vous avez rompu
ils ont rompu

IMPARFAIT
je rompais
tu rompais
il rompait
nous rompions
vous rompiez
ils rompaient

PLUS-QUE-PARFAIT
j'avais rompu
tu avais rompu
il avait rompu
nous avions rompu
vous aviez rompu
ils avaient rompu

PASSÉ SIMPLE
je rompis
tu rompis
il rompit
nous rompîmes
vous rompîtes
ils rompirent

PASSÉ ANTÉRIEUR
j'eus rompu
tu eus rompu
il eut rompu
nous eûmes rompu
vous eûtes rompu
ils eurent rompu

FUTUR SIMPLE
je romprai
tu rompras
il rompra
nous romprons
vous romprez
ils rompront

FUTUR ANTÉRIEUR
j'aurai rompu
tu auras rompu
il aura rompu
nous aurons rompu
vous aurez rompu
ils auront rompu

CONDITIONNEL

PRÉSENT
je romprais
tu romprais
il romprait
nous romprions
vous rompriez
ils rompraient

PASSÉ
j'aurais rompu
tu aurais rompu
il aurait rompu
nous aurions rompu
vous auriez rompu
ils auraient rompu

SUBJONCTIF

PRÉSENT
: que je rompe
: que tu rompes
: qu'il rompe
: que nous rompions
: que vous rompiez
: qu'ils rompent

PASSÉ
: que j'aie rompu
: que tu aies rompu
: qu'il ait rompu
: que nous ayons rompu
: que vous ayez rompu
: qu'ils aient rompu

IMPARFAIT
: que je rompisse
: que tu rompisses
: qu'il rompît
: que nous rompissions
: que vous rompissiez
: qu'ils rompissent

PLUS-QUE-PARFAIT
: que j'eusse rompu
: que tu eusses rompu
: qu'il eût rompu
: que nous eussions rompu
: que vous eussiez rompu
: qu'ils eussent rompu

IMPÉRATIF

PRÉSENT
: romps
: rompons
: rompez

PASSÉ
: aie rompu
: ayons rompu
: ayez rompu

INFINITIF

PRÉSENT
: rompre

PASSÉ
: avoir rompu

PARTICIPE

PRÉSENT
: rompant

PASSÉ
: rompu
: ayant rompu

GÉRONDIF

PRÉSENT
: en rompant

PASSÉ
: en ayant rompu

- Remarquer le **p** muet du radical au présent : *je romps*, *tu romps*, *il rompt*.
- Ainsi se conjuguent les verbes **corrompre** et **interrompre**.

rendre verbes en -andre,

INDICATIF

PRÉSENT	PASSÉ COMPOSÉ
je rends	j'ai rendu
tu rends	tu as rendu
il rend	il a rendu
nous rendons	nous avons rendu
vous rendez	vous avez rendu
ils rendent	ils ont rendu

IMPARFAIT	PLUS-QUE-PARFAIT
je rendais	j'avais rendu
tu rendais	tu avais rendu
il rendait	il avait rendu
nous rendions	nous avions rendu
vous rendiez	vous aviez rendu
ils rendaient	ils avaient rendu

PASSÉ SIMPLE	PASSÉ ANTÉRIEUR
je rendis	j'eus rendu
tu rendis	tu eus rendu
il rendit	il eut rendu
nous rendîmes	nous eûmes rendu
vous rendîtes	vous eûtes rendu
ils rendirent	ils eurent rendu

FUTUR SIMPLE	FUTUR ANTÉRIEUR
je rendrai	j'aurai rendu
tu rendras	tu auras rendu
il rendra	il aura rendu
nous rendrons	nous aurons rendu
vous rendrez	vous aurez rendu
ils rendront	ils auront rendu

CONDITIONNEL

PRÉSENT	PASSÉ
je rendrais	j'aurais rendu
tu rendrais	tu aurais rendu
il rendrait	il aurait rendu
nous rendrions	nous aurions rendu
vous rendriez	vous auriez rendu
ils rendraient	ils auraient rendu

SUBJONCTIF

PRÉSENT
que je rende
que tu rendes
qu'il rende
que nous rendions
que vous rendiez
qu'ils rendent

PASSÉ
que j'aie rendu
que tu aies rendu
qu'il ait rendu
que nous ayons rendu
que vous ayez rendu
qu'ils aient rendu

IMPARFAIT
que je rendisse
que tu rendisses
qu'il rendît
que nous rendissions
que vous rendissiez
qu'ils rendissent

PLUS-QUE-PARFAIT
que j'eusse rendu
que tu eusses rendu
qu'il eût rendu
que nous eussions rendu
que vous eussiez rendu
qu'ils eussent rendu

IMPÉRATIF

PRÉSENT
rends
rendons
rendez

PASSÉ
aie rendu
ayons rendu
ayez rendu

INFINITIF

PRÉSENT
rendre

PASSÉ
avoir rendu

PARTICIPE

PRÉSENT
rendant

PASSÉ
rendu
ayant rendu

GÉRONDIF

PRÉSENT
en rendant

PASSÉ
en ayant rendu

- Remarquer l'absence de **t** derrière le **d** du radical à la 3ᵉ personne
  du singulier de l'indicatif présent : *il rend*.
- Voir, dans le tableau 23, la liste des nombreux verbes en **-dre** qui se
  conjuguent comme **rendre**.

prendre

INDICATIF

PRÉSENT
: je prends
tu prends
il prend
nous prenons
vous prenez
ils prennent

PASSÉ COMPOSÉ
: j'ai pris
tu as pris
il a pris
nous avons pris
vous avez pris
ils ont pris

IMPARFAIT
: je prenais
tu prenais
il prenait
nous prenions
vous preniez
ils prenaient

PLUS-QUE-PARFAIT
: j'avais pris
tu avais pris
il avait pris
nous avions pris
vous aviez pris
ils avaient pris

PASSÉ SIMPLE
: je pris
tu pris
il prit
nous prîmes
vous prîtes
ils prirent

PASSÉ ANTÉRIEUR
: j'eus pris
tu eus pris
il eut pris
nous eûmes pris
vous eûtes pris
ils eurent pris

FUTUR SIMPLE
: je prendrai
tu prendras
il prendra
nous prendrons
vous prendrez
ils prendront

FUTUR ANTÉRIEUR
: j'aurai pris
tu auras pris
il aura pris
nous aurons pris
vous aurez pris
ils auront pris

CONDITIONNEL

PRÉSENT
: je prendrais
tu prendrais
il prendrait
nous prendrions
vous prendriez
ils prendraient

PASSÉ
: j'aurais pris
tu aurais pris
il aurait pris
nous aurions pris
vous auriez pris
ils auraient pris

SUBJONCTIF

PRÉSENT	PASSÉ
que je prenne	que j'aie pris
que tu prennes	que tu aies pris
qu'il prenne	qu'il ait pris
que nous prenions	que nous ayons pris
que vous preniez	que vous ayez pris
qu'ils prennent	qu'ils aient pris

IMPARFAIT	PLUS-QUE-PARFAIT
que je prisse	que j'eusse pris
que tu prisses	que tu eusses pris
qu'il prît	qu'il eût pris
que nous prissions	que nous eussions pris
que vous prissiez	que vous eussiez pris
qu'ils prissent	qu'ils eussent pris

IMPÉRATIF

PRÉSENT	PASSÉ
prends	aie pris
prenons	ayons pris
prenez	ayez pris

INFINITIF

PRÉSENT	PASSÉ
prendre	avoir pris

PARTICIPE

PRÉSENT	PASSÉ
prenant	pris
	ayant pris

GÉRONDIF

PRÉSENT	PASSÉ
en prenant	en ayant pris

- Remarquer, comme pour **rendre** (→ tableau 58), l'absence de **t** derrière le **d** du radical à la 3e personne de l'indicatif présent : *il prend*.
- Les composés de **prendre** (→ tableau 23) se conjuguent sur ce modèle.

battre

INDICATIF

PRÉSENT	PASSÉ COMPOSÉ
je bats	j'ai battu
tu bats	tu as battu
il bat	il a battu
nous battons	nous avons battu
vous battez	vous avez battu
ils battent	ils ont battu

IMPARFAIT	PLUS-QUE-PARFAIT
je battais	j'avais battu
tu battais	tu avais battu
il battait	il avait battu
nous battions	nous avions battu
vous battiez	vous aviez battu
ils battaient	ils avaient battu

PASSÉ SIMPLE	PASSÉ ANTÉRIEUR
je battis	j'eus battu
tu battis	tu eus battu
il battit	il eut battu
nous battîmes	nous eûmes battu
vous battîtes	vous eûtes battu
ils battirent	ils eurent battu

FUTUR SIMPLE	FUTUR ANTÉRIEUR
je battrai	j'aurai battu
tu battras	tu auras battu
il battra	il aura battu
nous battrons	nous aurons battu
vous battrez	vous aurez battu
ils battront	ils auront battu

CONDITIONNEL

PRÉSENT	PASSÉ
je battrais	j'aurais battu
tu battrais	tu aurais battu
il battrait	il aurait battu
nous battrions	nous aurions battu
vous battriez	vous auriez battu
ils battraient	ils auraient battu

SUBJONCTIF

PRÉSENT
: que je batte
: que tu battes
: qu'il batte
: que nous battions
: que vous battiez
: qu'ils battent

PASSÉ
: que j'aie battu
: que tu aies battu
: qu'il ait battu
: que nous ayons battu
: que vous ayez battu
: qu'ils aient battu

IMPARFAIT
: que je battisse
: que tu battisses
: qu'il battît
: que nous battissions
: que vous battissiez
: qu'ils battissent

PLUS-QUE-PARFAIT
: que j'eusse battu
: que tu eusses battu
: qu'il eût battu
: que nous eussions battu
: que vous eussiez battu
: qu'ils eussent battu

IMPÉRATIF

PRÉSENT
: bats
: battons
: battez

PASSÉ
: aie battu
: ayons battu
: ayez battu

INFINITIF

PRÉSENT
: battre

PASSÉ
: avoir battu

PARTICIPE

PRÉSENT
: battant

PASSÉ
: battu
: ayant battu

GÉRONDIF

PRÉSENT
: en battant

PASSÉ
: en ayant battu

• Les composés de **battre** (→ tableau 23) se conjuguent sur ce modèle.

mettre

INDICATIF

PRÉSENT
: je mets
: tu mets
: il met
: nous mettons
: vous mettez
: ils mettent

PASSÉ COMPOSÉ
: j'ai mis
: tu as mis
: il a mis
: nous avons mis
: vous avez mis
: ils ont mis

IMPARFAIT
: je mettais
: tu mettais
: il mettait
: nous mettions
: vous mettiez
: ils mettaient

PLUS-QUE-PARFAIT
: j'avais mis
: tu avais mis
: il avait mis
: nous avions mis
: vous aviez mis
: ils avaient mis

PASSÉ SIMPLE
: je mis
: tu mis
: il mit
: nous mîmes
: vous mîtes
: ils mirent

PASSÉ ANTÉRIEUR
: j'eus mis
: tu eus mis
: il eut mis
: nous eûmes mis
: vous eûtes mis
: ils eurent mis

FUTUR SIMPLE
: je mettrai
: tu mettras
: il mettra
: nous mettrons
: vous mettrez
: ils mettront

FUTUR ANTÉRIEUR
: j'aurai mis
: tu auras mis
: il aura mis
: nous aurons mis
: vous aurez mis
: ils auront mis

CONDITIONNEL

PRÉSENT
: je mettrais
: tu mettrais
: il mettrait
: nous mettrions
: vous mettriez
: ils mettraient

PASSÉ
: j'aurais mis
: tu aurais mis
: il aurait mis
: nous aurions mis
: vous auriez mis
: ils auraient mis

SUBJONCTIF

PRÉSENT
: que je mette
: que tu mettes
: qu'il mette
: que nous mettions
: que vous mettiez
: qu'ils mettent

PASSÉ
: que j'aie mis
: que tu aies mis
: qu'il ait mis
: que nous ayons mis
: que vous ayez mis
: qu'ils aient mis

IMPARFAIT
: que je misse
: que tu misses
: qu'il mît
: que nous missions
: que vous missiez
: qu'ils missent

PLUS-QUE-PARFAIT
: que j'eusse mis
: que tu eusses mis
: qu'il eût mis
: que nous eussions mis
: que vous eussiez mis
: qu'ils eussent mis

IMPÉRATIF

PRÉSENT
: mets
: mettons
: mettez

PASSÉ
: aie mis
: ayons mis
: ayez mis

INFINITIF

PRÉSENT
: mettre

PASSÉ
: avoir mis

PARTICIPE

PRÉSENT
: mettant

PASSÉ
: mis
: ayant mis

GÉRONDIF

PRÉSENT
: en mettant

PASSÉ
: en ayant mis

• Les composés de **mettre** (→ tableau 23) se conjuguent sur ce modèle.

INDICATIF

PRÉSENT
: je peins
: tu peins
: il peint
: nous peignons
: vous peignez
: ils peignent

PASSÉ COMPOSÉ
: j'ai peint
: tu as peint
: il a peint
: nous avons peint
: vous avez peint
: ils ont peint

IMPARFAIT
: je peignais
: tu peignais
: il peignait
: nous peignions
: vous peigniez
: ils peignaient

PLUS-QUE-PARFAIT
: j'avais peint
: tu avais peint
: il avait peint
: nous avions peint
: vous aviez peint
: ils avaient peint

PASSÉ SIMPLE
: je peignis
: tu peignis
: il peignit
: nous peignîmes
: vous peignîtes
: ils peignirent

PASSÉ ANTÉRIEUR
: j'eus peint
: tu eus peint
: il eut peint
: nous eûmes peint
: vous eûtes peint
: ils eurent peint

FUTUR SIMPLE
: je peindrai
: tu peindras
: il peindra
: nous peindrons
: vous peindrez
: ils peindront

FUTUR ANTÉRIEUR
: j'aurai peint
: tu auras peint
: il aura peint
: nous aurons peint
: vous aurez peint
: ils auront peint

CONDITIONNEL

PRÉSENT
: je peindrais
: tu peindrais
: il peindrait
: nous peindrions
: vous peindriez
: ils peindraient

PASSÉ
: j'aurais peint
: tu aurais peint
: il aurait peint
: nous aurions peint
: vous auriez peint
: ils auraient peint

SUBJONCTIF

PRÉSENT
: que je peigne
: que tu peignes
: qu'il peigne
: que nous peignions
: que vous peigniez
: qu'ils peignent

PASSÉ
: que j'aie peint
: que tu aies peint
: qu'il ait peint
: que nous ayons peint
: que vous ayez peint
: qu'ils aient peint

IMPARFAIT
: que je peignisse
: que tu peignisses
: qu'il peignît
: que nous peignissions
: que vous peignissiez
: qu'ils peignissent

PLUS-QUE-PARFAIT
: que j'eusse peint
: que tu eusses peint
: qu'il eût peint
: que nous eussions peint
: que vous eussiez peint
: qu'ils eussent peint

IMPÉRATIF

PRÉSENT
: peins
: peignons
: peignez

PASSÉ
: aie peint
: ayons peint
: ayez peint

INFINITIF

PRÉSENT
: peindre

PASSÉ
: avoir peint

PARTICIPE

PRÉSENT
: peignant

PASSÉ
: peint
: ayant peint

GÉRONDIF

PRÉSENT
: en peignant

PASSÉ
: en ayant peint

- À la différence des verbes **rendre** et **prendre** (→ tableaux 58 et 59),
  le verbe **peindre** perd le **d** du radical au singulier du présent de
  l'indicatif : *je peins, tu peins, il peint.*
- **Astreindre, atteindre, ceindre, feindre, enfreindre, empreindre,
  geindre, teindre** et leurs composés (→ tableau 23) se conjuguent
  sur ce modèle.

joindre

INDICATIF

PRÉSENT
je joins
tu joins
il joint
nous joignons
vous joignez
ils joignent

PASSÉ COMPOSÉ
j'ai joint
tu as joint
il a joint
nous avons joint
vous avez joint
ils ont joint

IMPARFAIT
je joignais
tu joignais
il joignait
nous joignions
vous joigniez
ils joignaient

PLUS-QUE-PARFAIT
j'avais joint
tu avais joint
il avait joint
nous avions joint
vous aviez joint
ils avaient joint

PASSÉ SIMPLE
je joignis
tu joignis
il joignit
nous joignîmes
vous joignîtes
ils joignirent

PASSÉ ANTÉRIEUR
j'eus joint
tu eus joint
il eut joint
nous eûmes joint
vous eûtes joint
ils eurent joint

FUTUR SIMPLE
je joindrai
tu joindras
il joindra
nous joindrons
vous joindrez
ils joindront

FUTUR ANTÉRIEUR
j'aurai joint
tu auras joint
il aura joint
nous aurons joint
vous aurez joint
ils auront joint

CONDITIONNEL

PRÉSENT
je joindrais
tu joindrais
il joindrait
nous joindrions
vous joindriez
ils joindraient

PASSÉ
j'aurais joint
tu aurais joint
il aurait joint
nous aurions joint
vous auriez joint
ils auraient joint

verbes en -oindre   3e GROUPE

SUBJONCTIF

PRÉSENT
: que je joigne
: que tu joignes
: qu'il joigne
: que nous joignions
: que vous joigniez
: qu'ils joignent

PASSÉ
: que j'aie joint
: que tu aies joint
: qu'il ait joint
: que nous ayons joint
: que vous ayez joint
: qu'ils aient joint

IMPARFAIT
: que je joignisse
: que tu joignisses
: qu'il joignît
: que nous joignissions
: que vous joignissiez
: qu'ils joignissent

PLUS-QUE-PARFAIT
: que j'eusse joint
: que tu eusses joint
: qu'il eût joint
: que nous eussions joint
: que vous eussiez joint
: qu'ils eussent joint

IMPÉRATIF

PRÉSENT
: joins
: joignons
: joignez

PASSÉ
: aie joint
: ayons joint
: ayez joint

INFINITIF

PRÉSENT
: joindre

PASSÉ
: avoir joint

PARTICIPE

PRÉSENT
: joignant

PASSÉ
: joint
: ayant joint

GÉRONDIF

PRÉSENT
: en joignant

PASSÉ
: en ayant joint

• Le verbe **joindre** perd le **d** du radical au singulier de l'indicatif présent : *je joins, tu joins, il joint*. Les composés de **joindre** (→ tableau 23) et les verbes archaïques **poindre** et **oindre** se conjuguent sur ce modèle.

• Au sens intransitif de *commencer à paraître*, **poindre** ne s'emploie qu'aux formes : *il point, il poindra*… **Oindre** est sorti de l'usage, sauf à l'infinitif et au participe passé : *oint, oints, ointe, ointes*.

craindre

INDICATIF

PRÉSENT
je crains
tu crains
il craint
nous craignons
vous craignez
ils craignent

PASSÉ COMPOSÉ
j'ai craint
tu as craint
il a craint
nous avons craint
vous avez craint
ils ont craint

IMPARFAIT
je craignais
tu craignais
il craignait
nous craignions
vous craigniez
ils craignaient

PLUS-QUE-PARFAIT
j'avais craint
tu avais craint
il avait craint
nous avions craint
vous aviez craint
ils avaient craint

PASSÉ SIMPLE
je craignis
tu craignis
il craignit
nous craignîmes
vous craignîtes
ils craignirent

PASSÉ ANTÉRIEUR
j'eus craint
tu eus craint
il eut craint
nous eûmes craint
vous eûtes craint
ils eurent craint

FUTUR SIMPLE
je craindrai
tu craindras
il craindra
nous craindrons
vous craindrez
ils craindront

FUTUR ANTÉRIEUR
j'aurai craint
tu auras craint
il aura craint
nous aurons craint
vous aurez craint
ils auront craint

CONDITIONNEL

PRÉSENT
je craindrais
tu craindrais
il craindrait
nous craindrions
vous craindriez
ils craindraient

PASSÉ
j'aurais craint
tu aurais craint
il aurait craint
nous aurions craint
vous auriez craint
ils auraient craint

SUBJONCTIF

PRÉSENT
que je craigne
que tu craignes
qu'il craigne
que nous craignions
que vous craigniez
qu'ils craignent

PASSÉ
que j'aie craint
que tu aies craint
qu'il ait craint
que nous ayons craint
que vous ayez craint
qu'ils aient craint

IMPARFAIT
que je craignisse
que tu craignisses
qu'il craignît
que nous craignissions
que vous craignissiez
qu'ils craignissent

PLUS-QUE-PARFAIT
que j'eusse craint
que tu eusses craint
qu'il eût craint
que nous eussions craint
que vous eussiez craint
qu'ils eussent craint

IMPÉRATIF

PRÉSENT
crains
craignons
craignez

PASSÉ
aie craint
ayons craint
ayez craint

INFINITIF

PRÉSENT
craindre

PASSÉ
avoir craint

PARTICIPE

PRÉSENT
craignant

PASSÉ
craint
ayant craint

GÉRONDIF

PRÉSENT
en craignant

PASSÉ
en ayant craint

- Le verbe **craindre** perd le **d** du radical au singulier de l'indicatif présent : *je crains, tu crains, il craint.*
- **Contraindre** et **plaindre** se conjuguent sur ce modèle.

vaincre

INDICATIF

PRÉSENT
je vaincs
tu vaincs
il vainc
nous vainquons
vous vainquez
ils vainquent

PASSÉ COMPOSÉ
j'ai vaincu
tu as vaincu
il a vaincu
nous avons vaincu
vous avez vaincu
ils ont vaincu

IMPARFAIT
je vainquais
tu vainquais
il vainquait
nous vainquions
vous vainquiez
ils vainquaient

PLUS-QUE-PARFAIT
j'avais vaincu
tu avais vaincu
il avait vaincu
nous avions vaincu
vous aviez vaincu
ils avaient vaincu

PASSÉ SIMPLE
je vainquis
tu vainquis
il vainquit
nous vainquîmes
vous vainquîtes
ils vainquirent

PASSÉ ANTÉRIEUR
j'eus vaincu
tu eus vaincu
il eut vaincu
nous eûmes vaincu
vous eûtes vaincu
ils eurent vaincu

FUTUR SIMPLE
je vaincrai
tu vaincras
il vaincra
nous vaincrons
vous vaincrez
ils vaincront

FUTUR ANTÉRIEUR
j'aurai vaincu
tu auras vaincu
il aura vaincu
nous aurons vaincu
vous aurez vaincu
ils auront vaincu

CONDITIONNEL

PRÉSENT
je vaincrais
tu vaincrais
il vaincrait
nous vaincrions
vous vaincriez
ils vaincraient

PASSÉ
j'aurais vaincu
tu aurais vaincu
il aurait vaincu
nous aurions vaincu
vous auriez vaincu
ils auraient vaincu

SUBJONCTIF

PRÉSENT
: que je vainque
: que tu vainques
: qu'il vainque
: que nous vainquions
: que vous vainquiez
: qu'ils vainquent

PASSÉ
: que j'aie vaincu
: que tu aies vaincu
: qu'il ait vaincu
: que nous ayons vaincu
: que vous ayez vaincu
: qu'ils aient vaincu

IMPARFAIT
: que je vainquisse
: que tu vainquisses
: qu'il vainquît
: que nous vainquissions
: que vous vainquissiez
: qu'ils vainquissent

PLUS-QUE-PARFAIT
: que j'eusse vaincu
: que tu eusses vaincu
: qu'il eût vaincu
: que nous eussions vaincu
: que vous eussiez vaincu
: qu'ils eussent vaincu

IMPÉRATIF

PRÉSENT
: vaincs
: vainquons
: vainquez

PASSÉ
: aie vaincu
: ayons vaincu
: ayez vaincu

INFINITIF

PRÉSENT
: vaincre

PASSÉ
: avoir vaincu

PARTICIPE

PRÉSENT
: vainquant

PASSÉ
: vaincu
: ayant vaincu

GÉRONDIF

PRÉSENT
: en vainquant

PASSÉ
: en ayant vaincu

• Noter cette irrégularité du verbe **vaincre** ; il ne prend pas de **t** final à la troisième personne du singulier du présent de l'indicatif : *il vainc*. D'autre part, devant une voyelle (sauf **u**), le **c** se change en **qu** : *nous vainquons*.

• **Convaincre** se conjugue sur ce modèle.

traire

INDICATIF

PRÉSENT
je trais
tu trais
il trait
nous trayons
vous trayez
ils traient

PASSÉ COMPOSÉ
j'ai trait
tu as trait
il a trait
nous avons trait
vous avez trait
ils ont trait

IMPARFAIT
je trayais
tu trayais
il trayait
nous trayions
vous trayiez
ils trayaient

PLUS-QUE-PARFAIT
j'avais trait
tu avais trait
il avait trait
nous avions trait
vous aviez trait
ils avaient trait

PASSÉ SIMPLE

PASSÉ ANTÉRIEUR
j'eus trait
tu eus trait
il eut trait
nous eûmes trait
vous eûtes trait
ils eurent trait

FUTUR SIMPLE
je trairai
tu trairas
il traira
nous trairons
vous trairez
ils trairont

FUTUR ANTÉRIEUR
j'aurai trait
tu auras trait
il aura trait
nous aurons trait
vous aurez trait
ils auront trait

CONDITIONNEL

PRÉSENT
je trairais
tu trairais
il trairait
nous trairions
vous trairiez
ils trairaient

PASSÉ
j'aurais trait
tu aurais trait
il aurait trait
nous aurions trait
vous auriez trait
ils auraient trait

SUBJONCTIF

PRÉSENT
: que je traie
: que tu traies
: qu'il traie
: que nous trayions
: que vous trayiez
: qu'ils traient

PASSÉ
: que j'aie trait
: que tu aies trait
: qu'il ait trait
: que nous ayons trait
: que vous ayez trait
: qu'ils aient trait

IMPARFAIT

PLUS-QUE-PARFAIT
: que j'eusse trait
: que tu eusses trait
: qu'il eût trait
: que nous eussions trait
: que vous eussiez trait
: qu'ils eussent trait

IMPÉRATIF

PRÉSENT
: trais
: trayons
: trayez

PASSÉ
: aie trait
: ayons trait
: ayez trait

INFINITIF

PRÉSENT
: traire

PASSÉ
: avoir trait

PARTICIPE

PRÉSENT
: trayant

PASSÉ
: trait
: ayant trait

GÉRONDIF

PRÉSENT
: en trayant

PASSÉ
: en ayant trait

• Se conjuguent sur ce modèle les composés de **traire** (au sens de *tirer*) comme **extraire**, **distraire**, etc. (→ tableau 23), de même que le verbe **braire**, qui ne s'emploie qu'aux 3ᵉˢ personnes de l'indicatif présent, du futur et du conditionnel.

faire

INDICATIF

PRÉSENT	PASSÉ COMPOSÉ
je fais	j'ai fait
tu fais	tu as fait
il fait	il a fait
nous faisons	nous avons fait
vous faites	vous avez fait
ils font	ils ont fait

IMPARFAIT	PLUS-QUE-PARFAIT
je faisais	j'avais fait
tu faisais	tu avais fait
il faisait	il avait fait
nous faisions	nous avions fait
vous faisiez	vous aviez fait
ils faisaient	ils avaient fait

PASSÉ SIMPLE	PASSÉ ANTÉRIEUR
je fis	j'eus fait
tu fis	tu eus fait
il fit	il eut fait
nous fîmes	nous eûmes fait
vous fîtes	vous eûtes fait
ils firent	ils eurent fait

FUTUR SIMPLE	FUTUR ANTÉRIEUR
je ferai	j'aurai fait
tu feras	tu auras fait
il fera	il aura fait
nous ferons	nous aurons fait
vous ferez	vous aurez fait
ils feront	ils auront fait

CONDITIONNEL

PRÉSENT	PASSÉ
je ferais	j'aurais fait
tu ferais	tu aurais fait
il ferait	il aurait fait
nous ferions	nous aurions fait
vous feriez	vous auriez fait
ils feraient	ils auraient fait

SUBJONCTIF

PRÉSENT
: que je fasse
: que tu fasses
: qu'il fasse
: que nous fassions
: que vous fassiez
: qu'ils fassent

PASSÉ
: que j'aie fait
: que tu aies fait
: qu'il ait fait
: que nous ayons fait
: que vous ayez fait
: qu'ils aient fait

IMPARFAIT
: que je fisse
: que tu fisses
: qu'il fît
: que nous fissions
: que vous fissiez
: qu'ils fissent

PLUS-QUE-PARFAIT
: que j'eusse fait
: que tu eusses fait
: qu'il eût fait
: que nous eussions fait
: que vous eussiez fait
: qu'ils eussent fait

IMPÉRATIF

PRÉSENT
: fais
: faisons
: faites

PASSÉ
: aie fait
: ayons fait
: ayez fait

INFINITIF

PRÉSENT
: faire

PASSÉ
: avoir fait

PARTICIPE

PRÉSENT
: faisant

PASSÉ
: fait
: ayant fait

GÉRONDIF

PRÉSENT
: en faisant

PASSÉ
: en ayant fait

- Tout en écrivant **fai**, on prononce *nous fesons* [fəzɔ̃], *je fesais* [fəzɛ], nous *fesions* [fəzjɔ̃], *fesant* [fəzɑ̃]. En revanche, on a aligné sur la prononciation l'orthographe de *je ferai*, *je ferai*s, écrits avec un **e**.
- Noter les 2ᵉˢ personnes du pluriel, présent : *vous faites* ; impératif : *faites*. *Vous faisez*, *faisez* sont des barbarismes.
- Les composés de **faire** se conjuguent sur ce modèle (→ tableau 23).

plaire

INDICATIF

PRÉSENT
je plais
tu plais
il plaît / plait
nous plaisons
vous plaisez
ils plaisent

PASSÉ COMPOSÉ
j'ai plu
tu as plu
il a plu
nous avons plu
vous avez plu
ils ont plu

IMPARFAIT
je plaisais
tu plaisais
il plaisait
nous plaisions
vous plaisiez
ils plaisaient

PLUS-QUE-PARFAIT
j'avais plu
tu avais plu
il avait plu
nous avions plu
vous aviez plu
ils avaient plu

PASSÉ SIMPLE
je plus
tu plus
il plut
nous plûmes
vous plûtes
ils plurent

PASSÉ ANTÉRIEUR
j'eus plu
tu eus plu
il eut plu
nous eûmes plu
vous eûtes plu
ils eurent plu

FUTUR SIMPLE
je plairai
tu plairas
il plaira
nous plairons
vous plairez
ils plairont

FUTUR ANTÉRIEUR
j'aurai plu
tu auras plu
il aura plu
nous aurons plu
vous aurez plu
ils auront plu

CONDITIONNEL

PRÉSENT
je plairais
tu plairais
il plairait
nous plairions
vous plairiez
ils plairaient

PASSÉ
j'aurais plu
tu aurais plu
il aurait plu
nous aurions plu
vous auriez plu
ils auraient plu

SUBJONCTIF

PRÉSENT
: que je plaise
: que tu plaises
: qu'il plaise
: que nous plaisions
: que vous plaisiez
: qu'ils plaisent

PASSÉ
: que j'aie plu
: que tu aies plu
: qu'il ait plu
: que nous ayons plu
: que vous ayez plu
: qu'ils aient plu

IMPARFAIT
: que je plusse
: que tu plusses
: qu'il plût
: que nous plussions
: que vous plussiez
: qu'ils plussent

PLUS-QUE-PARFAIT
: que j'eusse plu
: que tu eusses plu
: qu'il eût plu
: que nous eussions plu
: que vous eussiez plu
: qu'ils eussent plu

IMPÉRATIF

PRÉSENT
: plais
: plaisons
: plaisez

PASSÉ
: aie plu
: ayons plu
: ayez plu

INFINITIF

PRÉSENT
: plaire

PASSÉ
: avoir plu

PARTICIPE

PRÉSENT
: plaisant

PASSÉ
: plu
: ayant plu

GÉRONDIF

PRÉSENT
: en plaisant

PASSÉ
: en ayant plu

- **Complaire** et **déplaire** se conjuguent sur ce modèle, de même que **taire**, qui, lui, ne prend pas d'accent circonflexe au présent de l'indicatif : *il tait* ; il a un participe passé variable : *Les plaintes se sont tues*.
- Les rectifications orthographiques de 1990 autorisent l'orthographe *il plait* (sans accent circonflexe) sur le modèle de *fait*, *tait*.

connaître / connaitre

INDICATIF

PRÉSENT
je connais
tu connais
il connaît / connait
nous connaissons
vous connaissez
ils connaissent

IMPARFAIT
je connaissais
tu connaissais
il connaissait
nous connaissions
vous connaissiez
ils connaissaient

PASSÉ SIMPLE
je connus
tu connus
il connut
nous connûmes
vous connûtes
ils connurent

FUTUR SIMPLE
je connaîtrai / connaitrai
tu connaîtras / connaitras
il connaîtra / connaitra
nous connaîtrons / connaitrons
vous connaîtrez / connaitrez
ils connaîtront / connaitront

PASSÉ COMPOSÉ
j'ai connu
tu as connu
il a connu
nous avons connu
vous avez connu
ils ont connu

PLUS-QUE-PARFAIT
j'avais connu
tu avais connu
il avait connu
nous avions connu
vous aviez connu
ils avaient connu

PASSÉ ANTÉRIEUR
j'eus connu
tu eus connu
il eut connu
nous eûmes connu
vous eûtes connu
ils eurent connu

FUTUR ANTÉRIEUR
j'aurai connu
tu auras connu
il aura connu
nous aurons connu
vous aurez connu
ils auront connu

CONDITIONNEL

PRÉSENT
je connaîtrais / connaitrais
tu connaîtrais / connaitrais
il connaîtrait / connaitrait
nous connaîtrions / connaitrions
vous connaîtriez / connaitriez
ils connaîtraient / connaitraient

PASSÉ
j'aurais connu
tu aurais connu
il aurait connu
nous aurions connu
vous auriez connu
ils auraient connu

SUBJONCTIF

PRÉSENT	PASSÉ
que je connaisse	que j'aie connu
que tu connaisses	que tu aies connu
qu'il connaisse	qu'il ait connu
que nous connaissions	que nous ayons connu
que vous connaissiez	que vous ayez connu
qu'ils connaissent	qu'ils aient connu

IMPARFAIT	PLUS-QUE-PARFAIT
que je connusse	que j'eusse connu
que tu connusses	que tu eusses connu
qu'il connût	qu'il eût connu
que nous connussions	que nous eussions connu
que vous connussiez	que vous eussiez connu
qu'ils connussent	qu'ils eussent connu

IMPÉRATIF

PRÉSENT	PASSÉ
connais	aie connu
connaissons	ayons connu
connaissez	ayez connu

INFINITIF

PRÉSENT	PASSÉ
connaître / connaitre	avoir connu

PARTICIPE

PRÉSENT	PASSÉ
connaissant	connu
	ayant connu

GÉRONDIF

PRÉSENT	PASSÉ
en connaissant	en ayant connu

- **Connaître**, **paraître** et tous leurs composés se conjuguent sur ce modèle.
- Tous les verbes en **-aître** prennent un accent circonflexe sur le **i** qui précède le **t**, de même que tous les verbes en **-oître**. Toutefois, les rectifications orthographiques autorisent une orthographe sans accent circonflexe pour les verbes en **-aître** et en **-oître** *(paraitre, il parait, il paraitra)*, exception faite du verbe **croître** (→ tableau 73).

naître / naitre

INDICATIF

PRÉSENT
: je nais
: tu nais
: il naît / nait
: nous naissons
: vous naissez
: ils naissent

PASSÉ COMPOSÉ
: je suis né
: tu es né
: il est né
: nous sommes nés
: vous êtes nés
: ils sont nés

IMPARFAIT
: je naissais
: tu naissais
: il naissait
: nous naissions
: vous naissiez
: ils naissaient

PLUS-QUE-PARFAIT
: j'étais né
: tu étais né
: il était né
: nous étions nés
: vous étiez nés
: ils étaient nés

PASSÉ SIMPLE
: je naquis
: tu naquis
: il naquit
: nous naquîmes
: vous naquîtes
: ils naquirent

PASSÉ ANTÉRIEUR
: je fus né
: tu fus né
: il fut né
: nous fûmes nés
: vous fûtes nés
: ils furent nés

FUTUR SIMPLE
: je naîtrai / naitrai
: tu naîtras / naitras
: il naîtra / naitra
: nous naîtrons / naitrons
: vous naîtrez / naitrez
: ils naîtront / naitront

FUTUR ANTÉRIEUR
: je serai né
: tu seras né
: il sera né
: nous serons nés
: vous serez nés
: ils seront nés

CONDITIONNEL

PRÉSENT
: je naîtrais / naitrais
: tu naîtrais / naitrais
: il naîtrait / naitrait
: nous naîtrions / naitrions
: vous naîtriez / naitriez
: ils naîtraient / naitraient

PASSÉ
: je serais né
: tu serais né
: il serait né
: nous serions nés
: vous seriez nés
: ils seraient nés

SUBJONCTIF

PRÉSENT
: que je naisse
: que tu naisses
: qu'il naisse
: que nous naissions
: que vous naissiez
: qu'ils naissent

PASSÉ
: que je sois né
: que tu sois né
: qu'il soit né
: que nous soyons nés
: que vous soyez nés
: qu'ils soient nés

IMPARFAIT
: que je naquisse
: que tu naquisses
: qu'il naquît
: que nous naquissions
: que vous naquissiez
: qu'ils naquissent

PLUS-QUE-PARFAIT
: que je fusse né
: que tu fusses né
: qu'il fût né
: que nous fussions nés
: que vous fussiez nés
: qu'ils fussent nés

IMPERATIF

PRÉSENT
: nais
: naissons
: naissez

PASSÉ
: sois né
: soyons nés
: soyez nés

INFINITIF

PRÉSENT
: naître / naitre

PASSÉ
: être né

PARTICIPE

PRÉSENT
: naissant

PASSÉ
: né
: étant né

GÉRONDIF

PRÉSENT
: en naissant

PASSÉ
: en étant né

• Voir la note du tableau 69 à propos de l'accent circonflexe sur le **i** qui précède le **t**.

paître / paitre

INDICATIF

PRÉSENT
: je pais
: tu pais
: il paît / pait
: nous paissons
: vous paissez
: ils paissent

PASSÉ COMPOSÉ

IMPARFAIT
: je paissais
: tu paissais
: il paissait
: nous paissions
: vous paissiez
: ils paissaient

PLUS-QUE-PARFAIT

PASSÉ SIMPLE

PASSÉ ANTÉRIEUR

FUTUR SIMPLE
: je paîtrai / paitrai
: tu paîtras / paitras
: il paîtra / paitra
: nous paîtrons / paitrons
: vous paîtrez / paitrez
: ils paîtront / paitront

FUTUR ANTÉRIEUR

CONDITIONNEL

PRÉSENT
: je paîtrais / paitrais
: tu paîtrais / paitrais
: il paîtrait / paitrait
: nous paîtrions / paitrions
: vous paîtriez / paitriez
: ils paîtraient / paitraient

PASSÉ

SUBJONCTIF

PRÉSENT
que je paisse
que tu paisses
qu'il paisse
que nous paissions
que vous paissiez
qu'ils paissent

PASSÉ

IMPARFAIT

PLUS-QUE-PARFAIT

IMPÉRATIF

PRÉSENT
pais
paissons
paissez

PASSÉ

INFINITIF

PRÉSENT
paître / paitre

PASSÉ

PARTICIPE

PRÉSENT
paissant

PASSÉ

GÉRONDIF

PRÉSENT
en paissant

PASSÉ

- Le verbe **paître** n'a pas de temps composés ; il n'est employé qu'aux temps simples ci-dessus.
- Le participe passé **pu**, invariable, n'est utilisé qu'en termes de fauconnerie.
- Voir la note du tableau 69 à propos de l'accent circonflexe sur le **i** qui précède le **t**.

repaître / repaitre

INDICATIF

PRÉSENT
: je repais
tu repais
il repaît / repait
nous repaissons
vous repaissez
ils repaissent

PASSÉ COMPOSÉ
: j'ai repu
tu as repu
il a repu
nous avons repu
vous avez repu
ils ont repu

IMPARFAIT
: je repaissais
tu repaissais
il repaissait
nous repaissions
vous repaissiez
ils repaissaient

PLUS-QUE-PARFAIT
: j'avais repu
tu avais repu
il avait repu
nous avions repu
vous aviez repu
ils avaient repu

PASSÉ SIMPLE
: je repus
tu repus
il reput
nous repûmes
vous repûtes
ils repurent

PASSÉ ANTÉRIEUR
: j'eus repu
tu eus repu
il eut repu
nous eûmes repu
vous eûtes repu
ils eurent repu

FUTUR SIMPLE
: je repaîtrai / repaitrai
tu repaîtras / repaitras
il repaîtra / repaitra
nous repaîtrons / repaitrons
vous repaîtrez / repaitrez
ils repaîtront / repaitront

FUTUR ANTÉRIEUR
: j'aurai repu
tu auras repu
il aura repu
nous aurons repu
vous aurez repu
ils auront repu

CONDITIONNEL

PRÉSENT
: je repaîtrais / repaitrais
tu repaîtrais / repaitrais
il repaîtrait / repaitrait
nous repaîtrions / repaitrions
vous repaîtriez / repaitriez
ils repaîtraient / repaitraient

PASSÉ
: j'aurais repu
tu aurais repu
il aurait repu
nous aurions repu
vous auriez repu
ils auraient repu

SUBJONCTIF

PRÉSENT
: que je repaisse
: que tu repaisses
: qu'il repaisse
: que nous repaissions
: que vous repaissiez
: qu'ils repaissent

PASSÉ
: que j'aie repu
: que tu aies repu
: qu'il ait repu
: que nous ayons repu
: que vous ayez repu
: qu'ils aient repu

IMPARFAIT
: que je repusse
: que tu repusses
: qu'il repût
: que nous repussions
: que vous repussiez
: qu'ils repussent

PLUS-QUE-PARFAIT
: que j'eusse repu
: que tu eusses repu
: qu'il eût repu
: que nous eussions repu
: que vous eussiez repu
: qu'ils eussent repu

IMPÉRATIF

PRÉSENT
: repais
: repaissons
: repaissez

PASSÉ
: aie repu
: ayons repu
: ayez repu

INFINITIF

PRÉSENT
: repaître / repaitre

PASSÉ
: avoir repu

PARTICIPE

PRÉSENT
: repaissant

PASSÉ
: repu
: ayant repu

GÉRONDIF

PRÉSENT
: en repaissant

PASSÉ
: en ayant repu

• Voir la note du tableau 69 à propos de l'accent circonflexe sur le **i** qui précède le **t**.

croître / croitre

INDICATIF

PRÉSENT
je croîs
tu croîs
il croît
nous croissons
vous croissez
ils croissent

PASSÉ COMPOSÉ
j'ai crû
tu as crû
il a crû
nous avons crû
vous avez crû
ils ont crû

IMPARFAIT
je croissais
tu croissais
il croissait
nous croissions
vous croissiez
ils croissaient

PLUS-QUE-PARFAIT
j'avais crû
tu avais crû
il avait crû
nous avions crû
vous aviez crû
ils avaient crû

PASSÉ SIMPLE
je crûs
tu crûs
il crût
nous crûmes
vous crûtes
ils crûrent

PASSÉ ANTÉRIEUR
j'eus crû
tu eus crû
il eut crû
nous eûmes crû
vous eûtes crû
ils eurent crû

FUTUR SIMPLE
je croîtrai / croitrai
tu croîtras / croitras
il croîtra / croitra
nous croîtrons / croitrons
vous croîtrez / croitrez
ils croîtront / croitront

FUTUR ANTÉRIEUR
j'aurai crû
tu auras crû
il aura crû
nous aurons crû
vous aurez crû
ils auront crû

CONDITIONNEL

PRÉSENT
je croîtrais / croitrais
tu croîtrais / croitrais
il croîtrait / croitrait
nous croîtrions / croitrions
vous croîtriez / croitriez
ils croîtraient / croitraient

PASSÉ
j'aurais crû
tu aurais crû
il aurait crû
nous aurions crû
vous auriez crû
ils auraient crû

verbes en -oître / -oitre   3e GROUPE

SUBJONCTIF

PRÉSENT
que je croisse
que tu croisses
qu'il croisse
que nous croissions
que vous croissiez
qu'ils croissent

PASSÉ
que j'aie crû
que tu aies crû
qu'il ait crû
que nous ayons crû
que vous ayez crû
qu'ils aient crû

IMPARFAIT
que je crûsse
que tu crûsses
qu'il crût
que nous crûssions
que vous crûssiez
qu'ils crûssent

PLUS-QUE-PARFAIT
que j'eusse crû
que tu eusses crû
qu'il eût crû
que nous eussions crû
que vous eussiez crû
qu'ils eussent crû

IMPÉRATIF

PRÉSENT
croîs
croissons
croissez

PASSÉ
aie crû
ayons crû
ayez crû

INFINITIF

PRÉSENT
croître / croitre

PASSÉ
avoir crû

PARTICIPE

PRÉSENT
croissant

PASSÉ
crû
ayant crû

GÉRONDIF

PRÉSENT
en croissant

PASSÉ
en ayant crû

- Les rectifications orthographiques de 1990 autorisent la suppression de l'accent circonflexe sur le **i** suivi d'un **t** sauf, pour **croître**, dans le cas des formes homonymes avec celles du verbe **croire** : *je croîs, tu croîs, il croît*.
- Noter également la présence, pour la même raison, d'un accent circonflexe sur le **u** dans les formes : *je crûs, il crût, ils crûrent, que je crûsse, crû…*

croire

INDICATIF

PRÉSENT
: je crois
tu crois
il croit
nous croyons
vous croyez
ils croient

PASSÉ COMPOSÉ
: j'ai cru
tu as cru
il a cru
nous avons cru
vous avez cru
ils ont cru

IMPARFAIT
: je croyais
tu croyais
il croyait
nous croyions
vous croyiez
ils croyaient

PLUS-QUE-PARFAIT
: j'avais cru
tu avais cru
il avait cru
nous avions cru
vous aviez cru
ils avaient cru

PASSÉ SIMPLE
: je crus
tu crus
il crut
nous crûmes
vous crûtes
ils crurent

PASSÉ ANTÉRIEUR
: j'eus cru
tu eus cru
il eut cru
nous eûmes cru
vous eûtes cru
ils eurent cru

FUTUR SIMPLE
: je croirai
tu croiras
il croira
nous croirons
vous croirez
ils croiront

FUTUR ANTÉRIEUR
: j'aurai cru
tu auras cru
il aura cru
nous aurons cru
vous aurez cru
ils auront cru

CONDITIONNEL

PRÉSENT
: je croirais
tu croirais
il croirait
nous croirions
vous croiriez
ils croiraient

PASSÉ
: j'aurais cru
tu aurais cru
il aurait cru
nous aurions cru
vous auriez cru
ils auraient cru

SUBJONCTIF

PRÉSENT
que je croie
que tu croies
qu'il croie
que nous croyions
que vous croyiez
qu'ils croient

PASSÉ
que j'aie cru
que tu aies cru
qu'il ait cru
que nous ayons cru
que vous ayez cru
qu'ils aient cru

IMPARFAIT
que je crusse
que tu crusses
qu'il crût
que nous crussions
que vous crussiez
qu'ils crussent

PLUS-QUE-PARFAIT
que j'eusse cru
que tu eusses cru
qu'il eût cru
que nous eussions cru
que vous eussiez cru
qu'ils eussent cru

IMPÉRATIF

PRÉSENT
crois
croyons
croyez

PASSÉ
aie cru
ayons cru
ayez cru

INFINITIF

PRÉSENT
croire

PASSÉ
avoir cru

PARTICIPE

PRÉSENT
croyant

PASSÉ
cru
ayant cru

GÉRONDIF

PRÉSENT
en croyant

PASSÉ
en ayant cru

boire

INDICATIF

PRÉSENT
: je bois
: tu bois
: il boit
: nous buvons
: vous buvez
: ils boivent

PASSÉ COMPOSÉ
: j'ai bu
: tu as bu
: il a bu
: nous avons bu
: vous avez bu
: ils ont bu

IMPARFAIT
: je buvais
: tu buvais
: il buvait
: nous buvions
: vous buviez
: ils buvaient

PLUS-QUE-PARFAIT
: j'avais bu
: tu avais bu
: il avait bu
: nous avions bu
: vous aviez bu
: ils avaient bu

PASSÉ SIMPLE
: je bus
: tu bus
: il but
: nous bûmes
: vous bûtes
: ils burent

PASSÉ ANTÉRIEUR
: j'eus bu
: tu eus bu
: il eut bu
: nous eûmes bu
: vous eûtes bu
: ils eurent bu

FUTUR SIMPLE
: je boirai
: tu boiras
: il boira
: nous boirons
: vous boirez
: ils boiront

FUTUR ANTÉRIEUR
: j'aurai bu
: tu auras bu
: il aura bu
: nous aurons bu
: vous aurez bu
: ils auront bu

CONDITIONNEL

PRÉSENT
: je boirais
: tu boirais
: il boirait
: nous boirions
: vous boiriez
: ils boiraient

PASSÉ
: j'aurais bu
: tu aurais bu
: il aurait bu
: nous aurions bu
: vous auriez bu
: ils auraient bu

SUBJONCTIF

PRÉSENT
que je boive
que tu boives
qu'il boive
que nous buvions
que vous buviez
qu'ils boivent

PASSÉ
que j'aie bu
que tu aies bu
qu'il ait bu
que nous ayons bu
que vous ayez bu
qu'ils aient bu

IMPARFAIT
que je busse
que tu busses
qu'il bût
que nous bussions
que vous bussiez
qu'ils bussent

PLUS-QUE-PARFAIT
que j'eusse bu
que tu eusses bu
qu'il eût bu
que nous eussions bu
que vous eussiez bu
qu'ils eussent bu

IMPÉRATIF

PRÉSENT
bois
buvons
buvez

PASSÉ
aie bu
ayons bu
ayez bu

INFINITIF

PRÉSENT
boire

PASSÉ
avoir bu

PARTICIPE

PRÉSENT
buvant

PASSÉ
bu
ayant bu

GÉRONDIF

PRÉSENT
en buvant

PASSÉ
en ayant bu

clore

INDICATIF

PRÉSENT	PASSÉ COMPOSÉ
je clos	j'ai clos
tu clos	tu as clos
il clôt	il a clos
	nous avons clos
	vous avez clos
ils closent	ils ont clos

IMPARFAIT	PLUS-QUE-PARFAIT
	j'avais clos
	tu avais clos
	il avait clos
	nous avions clos
	vous aviez clos
	ils avaient clos

PASSÉ SIMPLE	PASSÉ ANTÉRIEUR
	j'eus clos
	tu eus clos
	il eut clos
	nous eûmes clos
	vous eûtes clos
	ils eurent clos

FUTUR SIMPLE	FUTUR ANTÉRIEUR
je clorai	j'aurai clos
tu cloras	tu auras clos
il clora	il aura clos
nous clorons	nous aurons clos
vous clorez	vous aurez clos
ils cloront	ils auront clos

CONDITIONNEL

PRÉSENT	PASSÉ
je clorais	j'aurais clos
tu clorais	tu aurais clos
il clorait	il aurait clos
nous clorions	nous aurions clos
vous cloriez	vous auriez clos
ils cloraient	ils auraient clos

SUBJONCTIF

PRÉSENT
que je close
que tu closes
qu'il close
que nous closions
que vous closiez
qu'ils closent

PASSÉ
que j'aie clos
que tu aies clos
qu'il ait clos
que nous ayons clos
que vous ayez clos
qu'ils aient clos

IMPARFAIT

PLUS-QUE-PARFAIT
que j'eusse clos
que tu eusses clos
qu'il eût clos
que nous eussions clos
que vous eussiez clos
qu'ils eussent clos

IMPÉRATIF

PRÉSENT
clos

PASSÉ
aie clos
ayons clos
ayez clos

INFINITIF

PRÉSENT
clore

PASSÉ
avoir clos

PARTICIPE

PRÉSENT
closant

PASSÉ
clos
ayant clos

GÉRONDIF

PRÉSENT
en closant

PASSÉ
en ayant clos

- **Éclore** ne s'emploie guère qu'à la 3ᵉ personne.
- **Enclore** possède les formes : *nous enclosons*, *vous enclosez* ; impératif : *enclosons*, *enclosez*. L'Académie française écrit sans accent circonflexe : *il enclot*.
- **Déclore** ne prend pas d'accent circonflexe au présent de l'indicatif : *il déclot*. Il n'est utilisé qu'à l'infinitif et au participe passé : *déclos*, *déclose*.

conclure

INDICATIF

PRÉSENT
je conclus
tu conclus
il conclut
nous concluons
vous concluez
ils concluent

PASSÉ COMPOSÉ
j'ai conclu
tu as conclu
il a conclu
nous avons conclu
vous avez conclu
ils ont conclu

IMPARFAIT
je concluais
tu concluais
il concluait
nous concluions
vous concluiez
ils concluaient

PLUS-QUE-PARFAIT
j'avais conclu
tu avais conclu
il avait conclu
nous avions conclu
vous aviez conclu
ils avaient conclu

PASSÉ SIMPLE
je conclus
tu conclus
il conclut
nous conclûmes
vous conclûtes
ils conclurent

PASSÉ ANTÉRIEUR
j'eus conclu
tu eus conclu
il eut conclu
nous eûmes conclu
vous eûtes conclu
ils eurent conclu

FUTUR SIMPLE
je conclurai
tu concluras
il conclura
nous conclurons
vous conclurez
ils concluront

FUTUR ANTÉRIEUR
j'aurai conclu
tu auras conclu
il aura conclu
nous aurons conclu
vous aurez conclu
ils auront conclu

CONDITIONNEL

PRÉSENT
je conclurais
tu conclurais
il conclurait
nous conclurions
vous concluriez
ils concluraient

PASSÉ
j'aurais conclu
tu aurais conclu
il aurait conclu
nous aurions conclu
vous auriez conclu
ils auraient conclu

verbes en -clure

SUBJONCTIF

PRÉSENT
que je conclue
que tu conclues
qu'il conclue
que nous concluions
que vous concluiez
qu'ils concluent

PASSÉ
que j'aie conclu
que tu aies conclu
qu'il ait conclu
que nous ayons conclu
que vous ayez conclu
qu'ils aient conclu

IMPARFAIT
que je conclusse
que tu conclusses
qu'il conclût
que nous conclussions
que vous conclussiez
qu'ils conclussent

PLUS-QUE-PARFAIT
que j'eusse conclu
que tu eusses conclu
qu'il eût conclu
que nous eussions conclu
que vous eussiez conclu
qu'ils eussent conclu

IMPÉRATIF

PRÉSENT
conclus
concluons
concluez

PASSÉ
aie conclu
ayons conclu
ayez conclu

INFINITIF

PRÉSENT
conclure

PASSÉ
avoir conclu

PARTICIPE

PRÉSENT
concluant

PASSÉ
conclu
ayant conclu

GÉRONDIF

PRÉSENT
en concluant

PASSÉ
en ayant conclu

- **Inclure** fait au participe passé : *inclus*, *incluse*, *incluses*.
  Noter l'opposition : *exclu(e)* / *inclus(e)*.
- **Occlure** fait au participe passé : *occlus*, *occluse*, *occluses*.

résoudre

INDICATIF

PRÉSENT
je résous
tu résous
il résout
nous résolvons
vous résolvez
ils résolvent

PASSÉ COMPOSÉ
j'ai résolu
tu as résolu
il a résolu
nous avons résolu
vous avez résolu
ils ont résolu

IMPARFAIT
je résolvais
tu résolvais
il résolvait
nous résolvions
vous résolviez
ils résolvaient

PLUS-QUE-PARFAIT
j'avais résolu
tu avais résolu
il avait résolu
nous avions résolu
vous aviez résolu
ils avaient résolu

PASSÉ SIMPLE
je résolus
tu résolus
il résolut
nous résolûmes
vous résolûtes
ils résolurent

PASSÉ ANTÉRIEUR
j'eus résolu
tu eus résolu
il eut résolu
nous eûmes résolu
vous eûtes résolu
ils eurent résolu

FUTUR SIMPLE
je résoudrai
tu résoudras
il résoudra
nous résoudrons
vous résoudrez
ils résoudront

FUTUR ANTÉRIEUR
j'aurai résolu
tu auras résolu
il aura résolu
nous aurons résolu
vous aurez résolu
ils auront résolu

CONDITIONNEL

PRÉSENT
je résoudrais
tu résoudrais
il résoudrait
nous résoudrions
vous résoudriez
ils résoudraient

PASSÉ
j'aurais résolu
tu aurais résolu
il aurait résolu
nous aurions résolu
vous auriez résolu
ils auraient résolu

SUBJONCTIF

PRÉSENT
: que je résolve
que tu résolves
qu'il résolve
que nous résolvions
que vous résolviez
qu'ils résolvent

PASSÉ
: que j'aie résolu
que tu aies résolu
qu'il ait résolu
que nous ayons résolu
que vous ayez résolu
qu'ils aient résolu

IMPARFAIT
: que je résolusse
que tu résolusses
qu'il résolût
que nous résolussions
que vous résolussiez
qu'ils résolussent

PLUS-QUE-PARFAIT
: que j'eusse résolu
que tu eusses résolu
qu'il eût résolu
que nous eussions résolu
que vous eussiez résolu
qu'ils eussent résolu

IMPÉRATIF

PRÉSENT
: résous
résolvons
résolvez

PASSÉ
: aie résolu
ayons résolu
ayez résolu

INFINITIF

PRÉSENT
: résoudre

PASSÉ
: avoir résolu

PARTICIPE

PRÉSENT
: résolvant

PASSÉ
: résolu
ayant résolu

GÉRONDIF

PRÉSENT
: en résolvant

PASSÉ
: en ayant résolu

- Les verbes **absoudre** et **dissoudre** présentent une conjugaison similaire. Cependant leur participe passé diffère. *Absous/absout*, *absoute* a éliminé l'ancien participe passé *absolu* qui s'est conservé comme adjectif au sens de « complet ». *Dissous/dissout*, *dissoute* a éliminé l'ancien participe passé *dissolu* qui s'est conservé comme adjectif au sens de « corrompu ».
- Par ailleurs, le passé simple *j'absolus* ne s'emploie pas.

coudre

INDICATIF

PRÉSENT
: je couds
tu couds
il coud
nous cousons
vous cousez
ils cousent

PASSÉ COMPOSÉ
: j'ai cousu
tu as cousu
il a cousu
nous avons cousu
vous avez cousu
ils ont cousu

IMPARFAIT
: je cousais
tu cousais
il cousait
nous cousions
vous cousiez
ils cousaient

PLUS-QUE-PARFAIT
: j'avais cousu
tu avais cousu
il avait cousu
nous avions cousu
vous aviez cousu
ils avaient cousu

PASSÉ SIMPLE
: je cousis
tu cousis
il cousit
nous cousîmes
vous cousîtes
ils cousirent

PASSÉ ANTÉRIEUR
: j'eus cousu
tu eus cousu
il eut cousu
nous eûmes cousu
vous eûtes cousu
ils eurent cousu

FUTUR SIMPLE
: je coudrai
tu coudras
il coudra
nous coudrons
vous coudrez
ils coudront

FUTUR ANTÉRIEUR
: j'aurai cousu
tu auras cousu
il aura cousu
nous aurons cousu
vous aurez cousu
ils auront cousu

CONDITIONNEL

PRÉSENT
: je coudrais
tu coudrais
il coudrait
nous coudrions
vous coudriez
ils coudraient

PASSÉ
: j'aurais cousu
tu aurais cousu
il aurait cousu
nous aurions cousu
vous auriez cousu
ils auraient cousu

SUBJONCTIF

PRÉSENT
: que je couse
: que tu couses
: qu'il couse
: que nous cousions
: que vous cousiez
: qu'ils cousent

PASSÉ
: que j'ai cousu
: que tu aies cousu
: qu'il ait cousu
: que nous ayons cousu
: que vous ayez cousu
: qu'ils aient cousu

IMPARFAIT
: que je cousisse
: que tu cousisses
: qu'il cousît
: que nous cousissions
: que vous cousissiez
: qu'ils cousissent

PLUS-QUE-PARFAIT
: que j'eusse cousu
: que tu eusses cousu
: qu'il eût cousu
: que nous eussions cousu
: que vous eussiez cousu
: qu'ils eussent cousu

IMPÉRATIF

PRÉSENT
: couds
: cousons
: cousez

PASSÉ
: aie cousu
: ayons cousu
: ayez cousu

INFINITIF

PRÉSENT
: coudre

PASSÉ
: avoir cousu

PARTICIPE

PRÉSENT
: cousant

PASSÉ
: cousu
: ayant cousu

GÉRONDIF

PRÉSENT
: en cousant

PASSÉ
: en ayant cousu

• Remarquer l'absence de **t** derrière le **d** du radical à la 3ᵉ personne du singulier de l'indicatif présent : *il coud*.

• **Découdre**, **recoudre** se conjuguent sur ce modèle.

moudre

PRÉSENT
: je mouds
: tu mouds
: il moud
: nous moulons
: vous moulez
: ils moulent

PASSÉ COMPOSÉ
: j'ai moulu
: tu as moulu
: il a moulu
: nous avons moulu
: vous avez moulu
: ils ont moulu

IMPARFAIT
: je moulais
: tu moulais
: il moulait
: nous moulions
: vous mouliez
: ils moulaient

PLUS-QUE-PARFAIT
: j'avais moulu
: tu avais moulu
: il avait moulu
: nous avions moulu
: vous aviez moulu
: ils avaient moulu

PASSÉ SIMPLE
: je moulus
: tu moulus
: il moulut
: nous moulûmes
: vous moulûtes
: ils moulurent

PASSÉ ANTÉRIEUR
: j'eus moulu
: tu eus moulu
: il eut moulu
: nous eûmes moulu
: vous eûtes moulu
: ils eurent moulu

FUTUR SIMPLE
: je moudrai
: tu moudras
: il moudra
: nous moudrons
: vous moudrez
: ils moudront

FUTUR ANTÉRIEUR
: j'aurai moulu
: tu auras moulu
: il aura moulu
: nous aurons moulu
: vous aurez moulu
: ils auront moulu

PRÉSENT
: je moudrais
: tu moudrais
: il moudrait
: nous moudrions
: vous moudriez
: ils moudraient

PASSÉ
: j'aurais moulu
: tu aurais moulu
: il aurait moulu
: nous aurions moulu
: vous auriez moulu
: ils auraient moulu

SUBJONCTIF

PRÉSENT
: que je moule
: que tu moules
: qu'il moule
: que nous moulions
: que vous mouliez
: qu'ils moulent

PASSÉ
: que j'aie moulu
: que tu aies moulu
: qu'il ait moulu
: que nous ayons moulu
: que vous ayez moulu
: qu'ils aient moulu

IMPARFAIT
: que je moulusse
: que tu moulusses
: qu'il moulût
: que nous moulussions
: que vous moulussiez
: qu'ils moulussent

PLUS-QUE-PARFAIT
: que j'eusse moulu
: que tu eusses moulu
: qu'il eût moulu
: que nous eussions moulu
: que vous eussiez moulu
: qu'ils eussent moulu

IMPÉRATIF

PRÉSENT
: mouds
: moulons
: moulez

PASSÉ
: aie moulu
: ayons moulu
: ayez moulu

INFINITIF

PRÉSENT
: moudre

PASSÉ
: avoir moulu

PARTICIPE

PRÉSENT
: moulant

PASSÉ
: moulu
: ayant moulu

GÉRONDIF

PRÉSENT
: en moulant

PASSÉ
: en ayant moulu

• Remarquer l'absence de **t** après le **d** du radical à la 3ᵉ personne du singulier de l'indicatif présent : *il moud*.

• **Émoudre**, **remoudre** se conjuguent sur ce modèle.

suivre

INDICATIF

PRÉSENT
: je suis
: tu suis
: il suit
: nous suivons
: vous suivez
: ils suivent

PASSÉ COMPOSÉ
: j'ai suivi
: tu as suivi
: il a suivi
: nous avons suivi
: vous avez suivi
: ils ont suivi

IMPARFAIT
: je suivais
: tu suivais
: il suivait
: nous suivions
: vous suiviez
: ils suivaient

PLUS-QUE-PARFAIT
: j'avais suivi
: tu avais suivi
: il avait suivi
: nous avions suivi
: vous aviez suivi
: ils avaient suivi

PASSÉ SIMPLE
: je suivis
: tu suivis
: il suivit
: nous suivîmes
: vous suivîtes
: ils suivirent

PASSÉ ANTÉRIEUR
: j'eus suivi
: tu eus suivi
: il eut suivi
: nous eûmes suivi
: vous eûtes suivi
: ils eurent suivi

FUTUR SIMPLE
: je suivrai
: tu suivras
: il suivra
: nous suivrons
: vous suivrez
: ils suivront

FUTUR ANTÉRIEUR
: j'aurai suivi
: tu auras suivi
: il aura suivi
: nous aurons suivi
: vous aurez suivi
: ils auront suivi

CONDITIONNEL

PRÉSENT
: je suivrais
: tu suivrais
: il suivrait
: nous suivrions
: vous suivriez
: ils suivraient

PASSÉ
: j'aurais suivi
: tu aurais suivi
: il aurait suivi
: nous aurions suivi
: vous auriez suivi
: ils auraient suivi

SUBJONCTIF

PRÉSENT
: que je suive
que tu suives
qu'il suive
que nous suivions
que vous suiviez
qu'ils suivent

PASSÉ
: que j'aie suivi
que tu aies suivi
qu'il ait suivi
que nous ayons suivi
que vous ayez suivi
qu'ils aient suivi

IMPARFAIT
: que je suivisse
que tu suivisses
qu'il suivît
que nous suivissions
que vous suivissiez
qu'ils suivissent

PLUS-QUE-PARFAIT
: que j'eusse suivi
que tu eusses suivi
qu'il eût suivi
que nous eussions suivi
que vous eussiez suivi
qu'ils eussent suivi

IMPÉRATIF

PRÉSENT
: suis
suivons
suivez

PASSÉ
: aie suivi
ayons suivi
ayez suivi

INFINITIF

PRÉSENT
: suivre

PASSÉ
: avoir suivi

PARTICIPE

PRÉSENT
: suivant

PASSÉ
: suivi
ayant suivi

GÉRONDIF

PRÉSENT
: en suivant

PASSÉ
: en ayant suivi

• **S'ensuivre** (auxiliaire **être**) et **poursuivre** se conjuguent sur ce modèle.

vivre

INDICATIF

PRÉSENT
je vis
tu vis
il vit
nous vivons
vous vivez
ils vivent

PASSÉ COMPOSÉ
j'ai vécu
tu as vécu
il a vécu
nous avons vécu
vous avez vécu
ils ont vécu

IMPARFAIT
je vivais
tu vivais
il vivait
nous vivions
vous viviez
ils vivaient

PLUS-QUE-PARFAIT
j'avais vécu
tu avais vécu
il avait vécu
nous avions vécu
vous aviez vécu
ils avaient vécu

PASSÉ SIMPLE
je vécus
tu vécus
il vécut
nous vécûmes
vous vécûtes
ils vécurent

PASSÉ ANTÉRIEUR
j'eus vécu
tu eus vécu
il eut vécu
nous eûmes vécu
vous eûtes vécu
ils eurent vécu

FUTUR SIMPLE
je vivrai
tu vivras
il vivra
nous vivrons
vous vivrez
ils vivront

FUTUR ANTÉRIEUR
j'aurai vécu
tu auras vécu
il aura vécu
nous aurons vécu
vous aurez vécu
ils auront vécu

CONDITIONNEL

PRÉSENT
je vivrais
tu vivrais
il vivrait
nous vivrions
vous vivriez
ils vivraient

PASSÉ
j'aurais vécu
tu aurais vécu
il aurait vécu
nous aurions vécu
vous auriez vécu
ils auraient vécu

SUBJONCTIF

PRÉSENT
: que je vive
: que tu vives
: qu'il vive
: que nous vivions
: que vous viviez
: qu'ils vivent

PASSÉ
: que j'aie vécu
: que tu aies vécu
: qu'il ait vécu
: que nous ayons vécu
: que vous ayez vécu
: qu'ils aient vécu

IMPARFAIT
: que je vécusse
: que tu vécusses
: qu'il vécût
: que nous vécussions
: que vous vécussiez
: qu'ils vécussent

PLUS-QUE-PARFAIT
: que j'eusse vécu
: que tu eusses vécu
: qu'il eût vécu
: que nous eussions vécu
: que vous eussiez vécu
: qu'ils eussent vécu

IMPÉRATIF

PRÉSENT
: vis
: vivons
: vivez

PASSÉ
: aie vécu
: ayons vécu
: ayez vécu

INFINITIF

PRÉSENT
: vivre

PASSÉ
: avoir vécu

PARTICIPE

PRÉSENT
: vivant

PASSÉ
: vécu
: ayant vécu

GÉRONDIF

PRÉSENT
: en vivant

PASSÉ
: en ayant vécu

• **Revivre** et **survivre** se conjuguent sur ce modèle ; le participe passé de **survivre** est invariable.

lire

INDICATIF

PRÉSENT
je lis
tu lis
il lit
nous lisons
vous lisez
ils lisent

PASSÉ COMPOSÉ
j'ai lu
tu as lu
il a lu
nous avons lu
vous avez lu
ils ont lu

IMPARFAIT
je lisais
tu lisais
il lisait
nous lisions
vous lisiez
ils lisaient

PLUS-QUE-PARFAIT
j'avais lu
tu avais lu
il avait lu
nous avions lu
vous aviez lu
ils avaient lu

PASSÉ SIMPLE
je lus
tu lus
il lut
nous lûmes
vous lûtes
ils lurent

PASSÉ ANTÉRIEUR
j'eus lu
tu eus lu
il eut lu
nous eûmes lu
vous eûtes lu
ils eurent lu

FUTUR SIMPLE
je lirai
tu liras
il lira
nous lirons
vous lirez
ils liront

FUTUR ANTÉRIEUR
j'aurai lu
tu auras lu
il aura lu
nous aurons lu
vous aurez lu
ils auront lu

CONDITIONNEL

PRÉSENT
je lirais
tu lirais
il lirait
nous lirions
vous liriez
ils liraient

PASSÉ
j'aurais lu
tu aurais lu
il aurait lu
nous aurions lu
vous auriez lu
ils auraient lu

SUBJONCTIF

PRÉSENT
que je lise
que tu lises
qu'il lise
que nous lisions
que vous lisiez
qu'ils lisent

PASSÉ
que j'aie lu
que tu aies lu
qu'il ait lu
que nous ayons lu
que vous ayez lu
qu'ils aient lu

IMPARFAIT
que je lusse
que tu lusses
qu'il lût
que nous lussions
que vous lussiez
qu'ils lussent

PLUS-QUE-PARFAIT
que j'eusse lu
que tu eusses lu
qu'il eût lu
que nous eussions lu
que vous eussiez lu
qu'ils eussent lu

IMPÉRATIF

PRÉSENT
lis
lisons
lisez

PASSÉ
aie lu
ayons lu
ayez lu

INFINITIF

PRÉSENT
lire

PASSÉ
avoir lu

PARTICIPE

PRÉSENT
lisant

PASSÉ
lu
ayant lu

GÉRONDIF

PRÉSENT
en lisant

PASSÉ
en ayant lu

• **Élire**, **réélire**, **relire** se conjuguent sur ce modèle.

dire

INDICATIF

PRÉSENT
: je dis
tu dis
il dit
nous disons
vous dites
ils disent

PASSÉ COMPOSÉ
: j'ai dit
tu as dit
il a dit
nous avons dit
vous avez dit
ils ont dit

IMPARFAIT
: je disais
tu disais
il disait
nous disions
vous disiez
ils disaient

PLUS-QUE-PARFAIT
: j'avais dit
tu avais dit
il avait dit
nous avions dit
vous aviez dit
ils avaient dit

PASSÉ SIMPLE
: je dis
tu dis
il dit
nous dîmes
vous dîtes
ils dirent

PASSÉ ANTÉRIEUR
: j'eus dit
tu eus dit
il eut dit
nous eûmes dit
vous eûtes dit
ils eurent dit

FUTUR SIMPLE
: je dirai
tu diras
il dira
nous dirons
vous direz
ils diront

FUTUR ANTÉRIEUR
: j'aurai dit
tu auras dit
il aura dit
nous aurons dit
vous aurez dit
ils auront dit

CONDITIONNEL

PRÉSENT
: je dirais
tu dirais
il dirait
nous dirions
vous diriez
ils diraient

PASSÉ
: j'aurais dit
tu aurais dit
il aurait dit
nous aurions dit
vous auriez dit
ils auraient dit

SUBJONCTIF

PRÉSENT
: que je dise
: que tu dises
: qu'il dise
: que nous disions
: que vous disiez
: qu'ils disent

PASSÉ
: que j'aie dit
: que tu aies dit
: qu'il ait dit
: que nous ayons dit
: que vous ayez dit
: qu'ils aient dit

IMPARFAIT
: que je disse
: que tu disses
: qu'il dît
: que nous dissions
: que vous dissiez
: qu'ils dissent

PLUS-QUE-PARFAIT
: que j'eusse dit
: que tu eusses dit
: qu'il eût dit
: que nous eussions dit
: que vous eussiez dit
: qu'ils eussent dit

IMPERATIF

PRÉSENT
: dis
: disons
: dites

PASSÉ
: aie dit
: ayons dit
: ayez dit

INFINITIF

PRÉSENT
: dire

PASSÉ
: avoir dit

PARTICIPE

PRÉSENT
: disant

PASSÉ
: dit
: ayant dit

GÉRONDIF

PRÉSENT
: en disant

PASSÉ
: en ayant dit

- **Redire** se conjugue sur ce modèle.
- **Contredire**, **dédire**, **interdire**, **médire** et **prédire** ont au présent de l'indicatif et de l'impératif les formes : *(vous) contredisez, dédisez, interdisez, médisez, prédisez.*
- Quant à **maudire**, il se conjugue sur **finir** : *nous maudissons, je maudissais,* etc., *maudissant* ; sauf au participe passé : *maudit, maudite.*

rire

INDICATIF

PRÉSENT
: je ris
: tu ris
: il rit
: nous rions
: vous riez
: ils rient

PASSÉ COMPOSÉ
: j'ai ri
: tu as ri
: il a ri
: nous avons ri
: vous avez ri
: ils ont ri

IMPARFAIT
: je riais
: tu riais
: il riait
: nous riions
: vous riiez
: ils riaient

PLUS-QUE-PARFAIT
: j'avais ri
: tu avais ri
: il avait ri
: nous avions ri
: vous aviez ri
: ils avaient ri

PASSÉ SIMPLE
: je ris
: tu ris
: il rit
: nous rîmes
: vous rîtes
: ils rirent

PASSÉ ANTÉRIEUR
: j'eus ri
: tu eus ri
: il eut ri
: nous eûmes ri
: vous eûtes ri
: ils eurent ri

FUTUR SIMPLE
: je rirai
: tu riras
: il rira
: nous rirons
: vous rirez
: ils riront

FUTUR ANTÉRIEUR
: j'aurai ri
: tu auras ri
: il aura ri
: nous aurons ri
: vous aurez ri
: ils auront ri

CONDITIONNEL

PRÉSENT
: je rirais
: tu rirais
: il rirait
: nous ririons
: vous ririez
: ils riraient

PASSÉ
: j'aurais ri
: tu aurais ri
: il aurait ri
: nous aurions ri
: vous auriez ri
: ils auraient ri

SUBJONCTIF

PRÉSENT
: que je rie
: que tu ries
: qu'il rie
: que nous riions
: que vous riiez
: qu'ils rient

PASSÉ
: que j'aie ri
: que tu aies ri
: qu'il ait ri
: que nous ayons ri
: que vous ayez ri
: qu'ils aient ri

IMPARFAIT (RARE)
: que je risse
: que tu risses
: qu'il rît
: que nous rissions
: que vous rissiez
: qu'ils rissent

PLUS-QUE-PARFAIT
: que j'eusse ri
: que tu eusses ri
: qu'il eût ri
: que nous eussions ri
: que vous eussiez ri
: qu'ils eussent ri

IMPÉRATIF

PRÉSENT
: ris
: rions
: riez

PASSÉ
: aie ri
: ayons ri
: ayez ri

INFINITIF

PRÉSENT
: rire

PASSÉ
: avoir ri

PARTICIPE

PRÉSENT
: riant

PASSÉ
: ri
: ayant ri

GÉRONDIF

PRÉSENT
: en riant

PASSÉ
: en ayant ri

- Remarquer les deux **i** consécutifs aux deux premières personnes du pluriel de l'imparfait de l'indicatif et du présent du subjonctif.
- **Sourire** se conjugue sur ce modèle.

écrire

INDICATIF

PRÉSENT
j'écris
tu écris
il écrit
nous écrivons
vous écrivez
ils écrivent

PASSÉ COMPOSÉ
j'ai écrit
tu as écrit
il a écrit
nous avons écrit
vous avez écrit
ils ont écrit

IMPARFAIT
j'écrivais
tu écrivais
il écrivait
nous écrivions
vous écriviez
ils écrivaient

PLUS-QUE-PARFAIT
j'avais écrit
tu avais écrit
il avait écrit
nous avions écrit
vous aviez écrit
ils avaient écrit

PASSÉ SIMPLE
j'écrivis
tu écrivis
il écrivit
nous écrivîmes
vous écrivîtes
ils écrivirent

PASSÉ ANTÉRIEUR
j'eus écrit
tu eus écrit
il eut écrit
nous eûmes écrit
vous eûtes écrit
ils eurent écrit

FUTUR SIMPLE
j'écrirai
tu écriras
il écrira
nous écrirons
vous écrirez
ils écriront

FUTUR ANTÉRIEUR
j'aurai écrit
tu auras écrit
il aura écrit
nous aurons écrit
vous aurez écrit
ils auront écrit

CONDITIONNEL

PRÉSENT
j'écrirais
tu écrirais
il écrirait
nous écririons
vous écririez
ils écriraient

PASSÉ
j'aurais écrit
tu aurais écrit
il aurait écrit
nous aurions écrit
vous auriez écrit
ils auraient écrit

SUBJONCTIF

PRÉSENT
: que j'écrive
que tu écrives
qu'il écrive
que nous écrivions
que vous écriviez
qu'ils écrivent

PASSÉ
: que j'aie écrit
que tu aies écrit
qu'il ait écrit
que nous ayons écrit
que vous ayez écrit
qu'ils aient écrit

IMPARFAIT
: que j'écrivisse
que tu écrivisses
qu'il écrivît
que nous écrivissions
que vous écrivissiez
qu'ils écrivissent

PLUS-QUE-PARFAIT
: que j'eusse écrit
que tu eusses écrit
qu'il eût écrit
que nous eussions écrit
que vous eussiez écrit
qu'ils eussent écrit

IMPÉRATIF

PRÉSENT
: écris
écrivons
écrivez

PASSÉ
: aie écrit
ayons écrit
ayez écrit

INFINITIF

PRÉSENT
: écrire

PASSÉ
: avoir écrit

PARTICIPE

PRÉSENT
: écrivant

PASSÉ
: écrit
ayant écrit

GÉRONDIF

PRÉSENT
: en écrivant

PASSÉ
: en ayant écrit

• **Récrire**, **décrire** et tous les composés en **-scrire** (→ tableau 23)
se conjuguent sur ce modèle.

confire

INDICATIF

PRÉSENT
je confis
tu confis
il confit
nous confisons
vous confisez
ils confisent

PASSÉ COMPOSÉ
j'ai confit
tu as confit
il a confit
nous avons confit
vous avez confit
ils ont confit

IMPARFAIT
je confisais
tu confisais
il confisait
nous confisions
vous confisiez
ils confisaient

PLUS-QUE-PARFAIT
j'avais confit
tu avais confit
il avait confit
nous avions confit
vous aviez confit
ils avaient confit

PASSÉ SIMPLE
je confis
tu confis
il confit
nous confîmes
vous confîtes
ils confirent

PASSÉ ANTÉRIEUR
j'eus confit
tu eus confit
il eut confit
nous eûmes confit
vous eûtes confit
ils eurent confit

FUTUR SIMPLE
je confirai
tu confiras
il confira
nous confirons
vous confirez
ils confiront

FUTUR ANTÉRIEUR
j'aurai confit
tu auras confit
il aura confit
nous aurons confit
vous aurez confit
ils auront confit

CONDITIONNEL

PRÉSENT
je confirais
tu confirais
il confirait
nous confirions
vous confiriez
ils confiraient

PASSÉ
j'aurais confit
tu aurais confit
il aurait confit
nous aurions confit
vous auriez confit
ils auraient confit

SUBJONCTIF

PRÉSENT
: que je confise
: que tu confises
: qu'il confise
: que nous confisions
: que vous confisiez
: qu'ils confisent

PASSÉ
: que j'aie confit
: que tu aies confit
: qu'il ait confit
: que nous ayons confit
: que vous ayez confit
: qu'ils aient confit

IMPARFAIT
: que je confisse
: que tu confisses
: qu'il confît
: que nous confissions
: que vous confissiez
: qu'ils confissent

PLUS-QUE-PARFAIT
: que j'eusse confit
: que tu eusses confit
: qu'il eût confit
: que nous eussions confit
: que vous eussiez confit
: qu'ils eussent confit

IMPÉRATIF

PRÉSENT
: confis
: confisons
: confisez

PASSÉ
: aie confit
: ayons confit
: ayez confit

INFINITIF

PRÉSENT
: confire

PASSÉ
: avoir confit

PARTICIPE

PRÉSENT
: confisant

PASSÉ
: confit
: ayant confit

GÉRONDIF

PRÉSENT
: en confisant

PASSÉ
: en ayant confit

- **Circoncire** se conjugue sur **confire**, mais le participe passé est : *circoncis, ise*.
- **Suffire** se conjugue sur **confire**. Le participe passé *suffi* (sans **t**), est invariable, même à la forme pronominale.

cuire

INDICATIF

PRÉSENT
: je cuis
: tu cuis
: il cuit
: nous cuisons
: vous cuisez
: ils cuisent

PASSÉ COMPOSÉ
: j'ai cuit
: tu as cuit
: il a cuit
: nous avons cuit
: vous avez cuit
: ils ont cuit

IMPARFAIT
: je cuisais
: tu cuisais
: il cuisait
: nous cuisions
: vous cuisiez
: ils cuisaient

PLUS-QUE-PARFAIT
: j'avais cuit
: tu avais cuit
: il avait cuit
: nous avions cuit
: vous aviez cuit
: ils avaient cuit

PASSÉ SIMPLE
: je cuisis
: tu cuisis
: il cuisit
: nous cuisîmes
: vous cuisîtes
: ils cuisirent

PASSÉ ANTÉRIEUR
: j'eus cuit
: tu eus cuit
: il eut cuit
: nous eûmes cuit
: vous eûtes cuit
: ils eurent cuit

FUTUR SIMPLE
: je cuirai
: tu cuiras
: il cuira
: nous cuirons
: vous cuirez
: ils cuiront

FUTUR ANTÉRIEUR
: j'aurai cuit
: tu auras cuit
: il aura cuit
: nous aurons cuit
: vous aurez cuit
: ils auront cuit

CONDITIONNEL

PRÉSENT
: je cuirais
: tu cuirais
: il cuirait
: nous cuirions
: vous cuiriez
: ils cuiraient

PASSÉ
: j'aurais cuit
: tu aurais cuit
: il aurait cuit
: nous aurions cuit
: vous auriez cuit
: ils auraient cuit

verbes en -uire   3ᵉ GROUPE

SUBJONCTIF

PRÉSENT
: que je cuise
: que tu cuises
: qu'il cuise
: que nous cuisions
: que vous cuisiez
: qu'ils cuisent

PASSÉ
: que j'aie cuit
: que tu aies cuit
: qu'il ait cuit
: que nous ayons cuit
: que vous ayez cuit
: qu'ils aient cuit

IMPARFAIT
: que je cuisisse
: que tu cuisisses
: qu'il cuisît
: que nous cuisissions
: que vous cuisissiez
: qu'ils cuisissent

PLUS-QUE-PARFAIT
: que j'eusse cuit
: que tu eusses cuit
: qu'il eût cuit
: que nous eussions cuit
: que vous eussiez cuit
: qu'ils eussent cuit

IMPÉRATIF

PRÉSENT
: cuis
: cuisons
: cuisez

PASSÉ
: aie cuit
: ayons cuit
: ayez cuit

INFINITIF

PRÉSENT
: cuire

PASSÉ
: avoir cuit

PARTICIPE

PRÉSENT
: cuisant

PASSÉ
: cuit
: ayant cuit

GÉRONDIF

PRÉSENT
: en cuisant

PASSÉ
: en ayant cuit

- Se conjuguent sur ce modèle : **conduire**, **construire**, **luire**, **nuire** et leurs composés (→ tableau 23). Noter les participes passés : *lui*, *nui*.
- Pour **reluire** comme pour **luire**, le passé simple *je (re)luisis* est supplanté par *je (re)luis*, *ils (re)luirent*.

Grammaire du verbe

Définitions

En français, comme dans les autres langues, les mots se répartissent entre plusieurs classes : à côté du verbe, on trouve le nom, l'adjectif, l'adverbe, la préposition, etc. Le verbe français, qui se distingue de façon particulièrement nette du nom, présente différents caractères.

89 Quelle fonction occupe un verbe dans une phrase ?

▶ Dans une phrase, il est à peu près indispensable d'employer un verbe. Si on le supprime, les autres mots sont privés de lien entre eux, et il devient difficile d'attribuer un sens à l'ensemble qu'ils constituent.

Le professeur enseigne la grammaire aux élèves.

▶ Cette phrase devient incompréhensible si on supprime le verbe *enseigne*. La fonction verbale peut, dans certains cas, se trouver réalisée sans la présence d'un verbe. Les phrases sans verbe sont appelées phrases nominales.

Ce Barnabé, quel champion !

90 Qu'est-ce que la conjugaison ?

▶ Le verbe comporte un grand nombre de formes différentes, qui sont énumérées par la conjugaison. Ces différences de formes servent à donner des indications relatives à la personne, au nombre, au temps et à l'aspect, au mode et à la voix.

▶ Différentes à l'oral et à l'écrit, les formes *il travaille*, *nous travaillions*, *ils travaillèrent*, *travaillez !* sont également différentes par les informations qu'elles donnent.

91 Qu'est-ce que la notion de temporalité ?

▶ La réalité désignée par un verbe a la propriété de **se dérouler dans le temps**.

Le sapin pousse plus vite que le chêne.

▶ Les objets désignés par les noms *sapin* et *chêne* sont considérés comme stables dans le temps. Au contraire, le processus désigné par le verbe *pousse* se déroule dans le temps.

▶ Il est possible par exemple, en utilisant la conjugaison, de présenter ce processus comme non accompli ; c'est le cas dans la phrase ci-dessus, où le verbe est au présent. Mais on peut le présenter comme accompli ; ainsi en est-il dans la phrase ci-dessous, où le verbe est au passé composé.

Le sapin a poussé plus vite que le chêne.

Les différents types de verbes

Le classement qui est présenté ici tient compte du sens et de la fonction du verbe.

92 Qu'est-ce qu'un verbe auxiliaire ?

Les deux verbes *être* et *avoir* présentent une particularité qui les distingue des autres verbes de la langue. On peut les utiliser de deux façons différentes.

⊃ **A** *Être et avoir* : **des verbes comme les autres**
Les verbes *être* et *avoir* peuvent s'employer comme tous les autres verbes, avec le sens et la construction qui leur est propre.

▶ *Être* s'utilise parfois avec le sens d'« exister ».

Et la lumière fut.

▶ *Être* sert cependant le plus souvent à introduire un attribut du sujet.

Ta plaisanterie est amusante.   *Alfred est médecin.*
             adjectif attribut   nom attribut

Mon meilleur ami est d'origine antillaise.
                                GN attribut

▶ *Avoir* s'emploie avec un complément d'objet et indique que le sujet « possède » ce « complément d'objet ».

J'ai désormais un appareil photo numérique.
                      complément d'objet

B *Être* et *avoir* utilisés comme auxiliaires

Indépendamment de cet emploi ordinaire, *être* et *avoir* s'utilisent comme verbes auxiliaires. Ils servent à constituer certaines formes de la conjugaison des autres verbes, dans les conditions suivantes.

▶ Les **formes passives** sont constituées, pour les verbes qui peuvent les recevoir, à l'aide de l'auxiliaire *être* et de la forme réduite du participe passé du verbe.

Le café est cultivé dans plusieurs pays d'Afrique.
     voix passive

▶ Les formes des temps composés (ou **formes composées**) sont constituées à l'aide d'un des deux auxiliaires *être* ou *avoir* et de la forme réduite du participe passé du verbe.

Paul est parti pour Nouakchott, mais est arrivé à Conakry.
  passé composé   passé composé

Louis avait mangé, mais n'avait rien bu.
  plus-que-parfait   plus-que-parfait

▶ Les **formes composées passives** utilisent les deux auxiliaires : *être* pour le passif, *avoir* pour la forme composée.

Paul a été reçu à son examen.
  passé composé passif

▶ Les **formes surcomposées** utilisent un auxiliaire lui-même composé à l'aide d'un auxiliaire.

Dès qu'il a eu fini son travail, Julien est parti rejoindre ses amis.

C Quand emploie-t-on *être* dans la formation des temps composés ?

▶ *Être* est l'auxiliaire des **verbes intransitifs** (→ § 95) qui marquent un **déplacement** ou un changement d'état aboutissant à son terme. Ainsi, *aller*, *arriver*, *devenir*, *entrer*, *mourir*, etc., se construisent avec *être*.

Il est arrivé à Paris et il est devenu célèbre.

▶ *Être* est également l'auxiliaire des verbes construits de façon pronominale (→ § 105 et 122).

Elle s'est soignée, puis elle s'est lavé les mains.

Pour l'accord du participe → § 118 à 126.

D Quand emploie-t-on *avoir* dans la formation des temps composés ?

▶ *Avoir* est l'auxiliaire de tous les verbes qui n'utilisent pas l'auxiliaire *être*, notamment les **verbes transitifs** (→ § 96).

Le verbe *être*, en particulier, utilise l'auxiliaire *avoir*.

L'accident a été très grave.
passé composé du verbe *être*.

Le verbe *avoir* s'utilise lui-même comme auxiliaire.

Le livre a eu beaucoup de succès.
passé composé du verbe *avoir*.

▶ Pour les verbes qui font alterner les deux auxiliaires, se reporter au tableau 3, pages 14-15.

E Le verbe *être* : le verbe le plus fréquemment employé

Comme auxiliaire, le verbe *avoir* est plus fréquent que le verbe *être*. Cependant, les emplois du verbe *être* comme verbe ordinaire (non auxiliaire) sont nettement plus fréquents que ceux du verbe *avoir* en sorte que, tout compte fait, c'est le verbe *être* qui est, juste avant *avoir*, le verbe le plus fréquent de la langue française. C'est pourquoi le tableau de sa conjugaison apparaît en première place.

93 Qu'est-ce qu'un semi-auxiliaire ?

Il est commode de considérer comme semi-auxiliaires les sept verbes suivants : *aller* et *venir*, *devoir*, *pouvoir*, *savoir*, *vouloir* et *faire*.

A Emplois de *aller* et *venir*

Aller et *venir*, suivis de l'infinitif d'un verbe, servent à former les **périphrases verbales temporelles** marquant le futur proche et le passé récent.

Je vais partir.   *Je viens d'arriver.*
futur proche   passé récent

B Emplois de *devoir*, *pouvoir*, *savoir* et *vouloir*

Certains verbes servent à « modaliser » le verbe à l'infinitif qui les suit.

Il s'agit :
– de *devoir*, qui marque la nécessité, et parfois la probabilité ;
– de *pouvoir*, qui marque la possibilité ;
– de *savoir*, marque de la compétence ;
– enfin de *vouloir*, marque de la volonté.

On parle dans ce cas de **périphrases verbales modales**.

Il doit travailler, mais il veut se reposer.

Il sait lire, mais il ne peut pas écrire.

C Emplois de *faire*

▶ *Faire* sert à constituer, avec l'infinitif qui le suit, la **périphrase verbale factitive**, par laquelle le sujet n'exécute pas lui-même l'action, mais la fait exécuter par quelqu'un d'autre.

Alexandre Dumas faisait parfois écrire ses livres par d'autres auteurs.

▶ Employé avec un pronom personnel réfléchi, *faire* constitue, avec le verbe à l'infinitif qui le suit, une périphrase verbale de sens passif.

Mon ami s'est fait renvoyer du lycée.

▶ *Faire* a en outre la propriété de remplacer un autre verbe, comme un pronom remplace un nom.

Il travaille plus qu'il ne l'a jamais fait. (*fait* = travaillé)

94 Qu'est-ce qu'un verbe d'action et un verbe d'état ?

▶ Un très grand nombre de verbes désignent une action effectuée par un sujet : *travailler*, *manger*, *marcher*, *aller*, *monter*… sont des **verbes d'action**.

▶ Beaucoup moins nombreux, d'autres verbes indiquent l'état dans lequel se trouve le sujet. Dans la plupart des cas, les **verbes d'état** servent à introduire un attribut : ce sont des **verbes attributifs** (→ § 99).

REM. Le verbe *exister* est un verbe d'état, mais ne peut pas introduire un attribut. Le verbe *être* est parfois utilisé, sans attribut, avec le sens d'« exister », notamment dans l'expression impersonnelle *il était une fois*.

Il était une fois un roi très puissant.

95 Qu'est-ce qu'un verbe intransitif ?

Certains verbes d'action désignent des processus qui ne s'exercent pas sur un objet : *aller*, *dormir*, *marcher*, *mugir*… Ces verbes sont dits **intransitifs** : ils ne peuvent pas avoir de complément d'objet – ce qui ne les empêche pas d'avoir des compléments circonstanciels.

Les soldats marchent vers Paris.
                     CC de lieu

96 Qu'est-ce qu'un verbe transitif ?

D'autres verbes d'action sont généralement pourvus d'un complément qui désigne l'objet sur lequel s'exerce l'action verbale, quelle que soit la nature de cette action. Ces verbes sont dits **transitifs**.

Paul construit sa maison.
               complément d'objet

97 Qu'est-ce qu'un verbe transitif direct ?

▶ Pour certains de ces verbes, le complément d'objet est construit « directement », c'est-à-dire sans préposition.

Les abeilles produisent le miel, les termites détruisent les maisons.
      COD du verbe *produisent*   COD du verbe *détruisent*

▶ Si on met le verbe à la voix passive, le complément d'objet en devient le sujet.

Le miel est produit par les abeilles.
  sujet

REM. On prendra garde à ne pas confondre le complément d'objet direct avec les compléments circonstanciels construits directement.

Il boit la nuit, il mange le jour.
  CC de temps   CC de temps

Toutefois, ces compléments circonstanciels se distinguent des compléments d'objet par la propriété qu'ils ont de pouvoir se placer devant le groupe constitué par le verbe et son sujet.

La nuit il boit, le jour il mange.

En outre, ils n'ont pas la possibilité de devenir sujets du verbe passif : *la nuit est bue par lui* est une phrase impossible.

98 Qu'est-ce qu'un verbe transitif indirect ?

Pour d'autres verbes, le complément d'objet est introduit par une préposition, généralement *à* ou *de* : ces verbes sont appelés transitifs indirects.

Elle ressemble à sa mère : elle ne parle que de linguistique.
      COI du verbe *ressemble*   COI du verbe *parle*

99 Qu'est-ce qu'un verbe attributif ?

▶ La plupart des verbes d'état introduisent un nom ou un adjectif qui indiquent une caractéristique du sujet.

Juliette est contente : elle va devenir pilote de ligne.
      adjectif   nom

Ces verbes sont dits attributifs, car ils introduisent un attribut du sujet.

▶ Les verbes attributifs sont le verbe *être* et ses différentes variantes modalisées : *sembler*, *paraître*, *devenir*, *rester*…

Les six catégories verbales

La conjugaison permet de donner des indications sur différentes notions : la personne, le nombre, le temps et l'aspect, le mode, la voix. Ces notions reçoivent le nom de catégories verbales. Elles se combinent entre elles pour chaque forme verbale.

Ainsi la forme *ils applaudirent* peut être analysée simultanément selon les six catégories verbales : la personne (la 3e), le nombre (le pluriel), le temps et l'aspect (le passé simple), le mode (l'indicatif) et la voix (l'actif).

100 Qu'est-ce que la notion de personne ?

Les variations selon la personne sont spécifiques au verbe et au pronom personnel. C'est le sujet qui détermine la personne du verbe par le phénomène de l'accord (→ § 106 et 107). Les variations en personne du verbe renseignent sur la personne qui effectue l'action désignée par le verbe.

Je travaille. Nous travaillons.

▶ La **première personne** *je* n'est autre que celle qui parle. La **deuxième personne** *tu* est celle à laquelle on s'adresse.

Dans ces deux cas, le sujet est toujours un pronom personnel, même si on peut lui apposer un nom, commun ou propre.

Toi, Laetitia, tu connais beaucoup de pays.
nom apposé   pronom personnel sujet

▶ La **troisième personne** *il* indique que le sujet du verbe ne participe pas à la communication qui s'établit entre les deux premières personnes : elle est en quelque sorte absente, et on lui donne parfois le nom de *non-personne*. À la différence des deux premières personnes, qui sont des êtres humains (ou humanisés, par exemple quand on fait parler un animal ou qu'on s'adresse à un objet), la troisième personne peut indifféremment désigner un être animé ou un objet non animé. Le sujet du verbe à la 3e personne peut être un pronom personnel de la 3e personne, un groupe nominal, un pronom d'une autre classe que celle des personnels.

Il (elle) sourit.   *Le lac est agité.*   *Tout est fini.*
pronom personnel   GN   pronom défini

Qu'est-ce qu'un verbe impersonnel ?

C'est aussi à la troisième personne qu'on emploie les verbes impersonnels conjugués. À proprement parler, ils n'ont pas de sujet : est-il possible de repérer le sujet de *il pleut* ? Mais la conjugaison française exige la présence d'un pronom devant tout verbe conjugué (sauf à l'impératif et aux modes non personnels → § 103). Dans certains cas, l'élément qui suit le verbe impersonnel peut être interprété comme son « **sujet réel** ».

Il m'est arrivé une étrange aventure.
pronom personnel   sujet réel

101 Qu'est-ce que la notion de nombre ?

La catégorie du nombre est commune au verbe, au nom, à l'adjectif qualificatif, aux déterminants et à la plupart des pronoms. Dans le cas du verbe, le nombre est associé à la personne. C'est donc également le sujet qui détermine le nombre, par le phénomène de l'accord (→ § 106 et 107). Les variations en nombre renseignent sur la quantité des personnes exerçant la fonction de sujet : en français, une seule personne pour le singulier, au moins deux pour le pluriel.

je travaille   *nous travaillons*

⊃ **A** La spécificité de *nous*

Il faut remarquer la spécificité du pluriel de la première personne : *nous* ne désigne pas plusieurs *je* – puisque *je* est par définition unique – mais ajoute à *je* un (ou plusieurs) *tu* ainsi que, éventuellement, un ou plusieurs *il*.

⊃ **B** Le *vous* de politesse et le *nous* de modestie ou d'emphase

▶ En français, c'est la 2e personne du pluriel qu'on utilise comme « forme de politesse ».

Que faites-vous, Madame ?

▶ La première personne du pluriel est parfois utilisée par une personne unique dans un souci de modestie.

Nous ne parlerons pas de ces problèmes.

On utilise parfois inversement le *nous* d'emphase.

Nous, préfet du Puy-de-Dôme, prenons l'arrêté suivant.

▶ Le *vous* de politesse et le *nous* de modestie ou d'emphase entraînent l'accord du verbe au pluriel.

102 Quelle est la différence entre le temps et l'aspect ?

Le verbe donne des indications temporelles sur les réalités qu'il désigne. Ces indications sont de deux types : le temps et l'aspect.

A Qu'est-ce que le temps ?

L'action est située dans le temps par rapport au moment où l'on parle. Ce moment, qui correspond au présent, sépare avec rigueur ce qui lui est antérieur (le passé) de ce qui lui est ultérieur (le futur).

L'ensemble des distinctions entre les différents moments où l'action peut se réaliser reçoit en grammaire française le nom de **temps**, nom qui est également utilisé pour désigner chacune des séries de formes telles que le présent, l'imparfait, le futur.

B Qu'est-ce que l'aspect ?

Le déroulement de l'action est envisagé en lui-même, indépendamment de sa place par rapport au présent. Ces indications sur la façon dont l'action se déroule constituent la catégorie de l'**aspect**.

▶ On indique par exemple si les **limites temporelles de l'action** sont prises en compte ou ne le sont pas.

Alfred travailla.   *Alfred travaillait.*
passé simple   imparfait

Dans ces deux phrases, l'action est située dans le passé. Cependant, les deux phrases ont un sens différent. Dans la première, l'action de *travailler* est envisagée comme limitée : on pourrait préciser le moment où elle a commencé et celui où elle a fini. La seconde phrase, au contraire, ne s'intéresse pas aux limites temporelles de l'action. On parle dans ce cas de valeur aspectuelle limitative (pour le passé simple) et non limitative (pour l'imparfait).

▶ On peut aussi indiquer si l'action est **en cours d'accomplissement**, c'est-à-dire non accomplie, ou si elle est totalement accomplie. Dans les phrases suivantes, le verbe au présent indique que l'action est en cours d'accomplissement.

Quand on est seul, on déjeune vite.

En ce moment, les élèves terminent leur travail.

Au contraire, dans les phrases :

Quand on est seul, on a vite déjeuné.

En ce moment, les élèves ont terminé leur travail.

le passé composé ne situe pas l'action dans le passé, mais indique qu'au moment où l'on parle, l'action est accomplie.

103 Qu'est-ce que le mode ?

La catégorie du mode regroupe les modes personnels, qui comportent la catégorie de la personne (→ § 100) et les modes impersonnels, qui ne la comportent pas.

A Les modes personnels : indicatif, subjonctif, impératif

▶ En français, les modes personnels sont au nombre de trois : l'**indicatif**, le **subjonctif** et l'**impératif**. Ils comportent une flexion en personnes, complète pour les deux premiers, incomplète pour l'impératif, qui n'a pas de 3e personne, et ne connaît la première personne qu'au pluriel.

▶ Le **conditionnel**, longtemps considéré comme un mode spécifique, est aujourd'hui rattaché à l'indicatif, pour des raisons de forme et de sens.

REM. Les tableaux de conjugaison du *Bescherelle* placent le conditionnel du côté de l'indicatif mais, pour des raisons de tradition, lui conservent son nom et l'isolent de l'indicatif.

B Les modes impersonnels

Les modes impersonnels sont au nombre de trois : l'**infinitif**, le **participe** et le **gérondif**. Ils permettent notamment de conférer au verbe des emplois généralement réservés à d'autres classes de mots.

104 Qu'est ce que la voix ?

A Définition

La catégorie de la voix permet d'indiquer de quelle façon le sujet prend part à l'action désignée par le verbe.

B Qu'est-ce que la voix active ?

Quand le verbe est à la voix active, le sujet est l'agent de l'action, c'est-à-dire qu'il l'effectue.

Le gros chat dévore les petites souris.

C Qu'est-ce que la voix passive ?

La voix passive indique que le sujet est le patient de l'action, c'est-à-dire qu'il la subit.

Les petits souris sont dévorées par le gros chat.

Le complément d'objet d'un verbe à la voix active *(les petites souris)* en devient le sujet quand on fait passer le verbe à la voix passive. De son côté, le sujet du verbe actif *(le gros chat)* devient le complément d'agent du verbe passif *(par le gros chat)*.

D Quels verbes peuvent être à la voix passive ?

La catégorie de la voix passive ne concerne que les **verbes transitifs directs**. Les autres verbes (transitifs indirects, intransitifs, attributifs : (→ § 95, 98, 99) n'ont pas de forme passive.

Toutefois, quelques rares verbes transitifs indirects (notamment *obéir*, *désobéir* et *pardonner*) peuvent s'employer au passif : *vous serez pardonnés.*

105 En quoi consiste une construction pronominale ?

La construction pronominale consiste à donner au verbe un complément sous la forme d'un pronom personnel réfléchi.

Elle se promène dans le parc.

A Quand la construction pronominale a-t-elle une valeur réfléchie ?

C'est la valeur la plus courante d'une construction pronominale. Le sujet exerce l'action sur lui-même. Il peut être l'objet de l'action ou en être le bénéficiaire.

L'étudiant se prépare à l'examen. (= il prépare lui-même à l'examen)

Il se prépare un avenir radieux. (= il prépare un avenir radieux pour lui)

B Quand la construction pronominale a-t-elle une valeur réciproque ?

La valeur réciproque s'observe dans le cas d'un sujet au pluriel. Les agents exercent l'action les uns sur les autres, en qualité soit d'objets, soit de bénéficiaires.

Deux pigeons s'aimaient d'amour tendre.

Les étudiants s'échangent leurs informations.

C Qu'est-ce que la valeur passive
de la construction pronominale ?

La construction pronominale permet dans certains cas d'obtenir des valeurs très voisines de la voix passive.

Ce livre se vend bien. (= ce livre est bien vendu)

Le verbe employé de façon pronominale prend ici une valeur passive, sans toutefois pouvoir recevoir un complément d'agent. C'est l'existence de cette valeur passive qui a incité certains grammairiens à parler de voix pronominale.

D Qu'est-ce qu'un verbe essentiellement pronominal ?

Certains verbes s'emploient exclusivement avec la construction pronominale. Ce sont les verbes essentiellement pronominaux, tels que *s'absenter, s'abstenir, s'arroger, se désister, s'évanouir, se repentir, se souvenir…*

Comment accorder le verbe ?

106 Qu'est-ce que l'accord ? Analyse d'un exemple

Le petit garçon promène son chien.

▶ Dans cette phrase, le nom *garçon* comporte plusieurs catégories morphologiques. Il possède par lui-même le **genre** masculin. Il est utilisé au singulier, **nombre** qu'on emploie quand la personne ou l'objet dont on parle est unique. Il relève enfin de la 3e **personne** : on pourrait le remplacer par le pronom personnel de 3e personne *il*.

▶ Ces trois catégories morphologiques possédées par le nom *garçon* se communiquent aux éléments de la phrase qui entrent en relation avec lui.

L'article *le* et l'adjectif *petit* prennent les marques des deux catégories du genre masculin et du nombre singulier, mais non celle de la 3ᵉ personne, parce qu'ils ne peuvent pas marquer cette catégorie.

De son côté, le verbe prend les marques de la 3ᵉ personne et du nombre singulier, mais non celle du genre masculin, parce qu'il ne peut pas marquer cette catégorie.

107 Comment accorder le verbe avec son sujet ?

Les formes personnelles du verbe s'accordent en personne et en nombre avec leur sujet.

Les élèves travaillent,   nous ne faisons rien.
3ᵉ pers. pl. 3ᵉ pers. pl.   1ʳᵉ pers. pl. 1ʳᵉ pers. pl.

A Accord en personne

▶ Le verbe ne s'accorde **à la première et à la deuxième personne** que lorsque le sujet est un pronom personnel de l'une de ces deux personnes (*je* et *tu* pour le singulier, *nous* et *vous* pour le pluriel).

Je   suis grammairien.
1ʳᵉ pers. sing.   1ʳᵉ pers. sing.

Tu   as de bonnes notions d'informatique.
2ᵉ pers. sing.   2ᵉ pers. sing.

Nous   adorons l'italien.
1ʳᵉ pers. plur.   1ʳᵉ pers. plur.

Vous   avez horreur des mathématiques.
2ᵉ pers. plur.   2ᵉ pers. plur.

▶ Tous les autres types de sujet (nom commun introduit par un déterminant, nom propre, pronom autre que *je*, *tu*, *nous* ou *vous*, verbe à l'infinitif...) entraînent l'accord **à la 3ᵉ personne**.

Timothée   frémit en regardant le précipice.
nom propre   3ᵉ pers.

Personne   n'a rien entendu.
pronom   3ᵉ pers.

Fumer   est dangereux pour la santé.
infinitif   3ᵉ pers.

B Accord en nombre

Pour le nombre, le sujet au singulier détermine l'accord au singulier ;
le sujet au pluriel, l'accord au pluriel.

Qui la grammaire   *intéresse-t-elle ?*
sujet singulier   verbe singulier

Les élèves   *travaillent.*
sujet pluriel   verbe pluriel

Ils   *se moquent des problèmes d'accord.*
sujet pluriel   verbe pluriel

Certains   *préfèrent penser au lendemain.*
sujet pluriel   verbe pluriel

REM. Le *vous* de politesse comme le *nous* de modestie ou d'emphase
entraînent l'accord du verbe au pluriel.

108 Comment accorder le verbe avec le pronom relatif *qui* ?

▶ Pour accorder un verbe qui a pour sujet le pronom relatif *qui*,
il faut rechercher l'**antécédent** de ce pronom, c'est-à-dire le
groupe nominal ou le pronom qu'il représente.

Les amis qui viennent dîner ce soir sont de très vieilles connaissances.
     antécédent

▶ Le pronom relatif *qui* peut avoir pour antécédent un pronom personnel de la première ou de la deuxième personne. Dans ce cas,
l'accord en personne se fait avec le pronom personnel.

C'est moi qui ai raison.   *C'est toi qui as tort.*
antécédent 1ʳᵉ pers.   antécédent 2ᵉ pers.

Toutefois, les expressions telles que *le premier (la première) qui*,
le seul (la seule) qui, *celui (celle) qui*, dépendant d'un verbe à la
première ou à la deuxième personne, acceptent l'accord à la
troisième.

Je suis le premier qui ai/a écrit sur ce sujet.
1ʳᵉ pers.   1ʳᵉ ou 3ᵉ pers.

Tu es celle qui m'as/m'a aimé.
2ᵉ pers.   2ᵉ ou 3ᵉ pers.

▶ Pour *un (une) des [...] qui*, il faut, pour faire correctement l'accord, repérer si l'antécédent de *qui* est le pronom singulier *un* ou le nom au pluriel qui en est le complément.

C'est un des élèves qui a remporté le prix.
(= un seul élève a remporté le prix)

C'est un des meilleurs livres qui aient été publiés.
(= beaucoup de livres ont été publiés)

109 Comment accorder le verbe avec un nom collectif ?

Les noms tels que *foule, multitude, infinité, troupe, masse, majorité…* ainsi que les approximatifs *dizaine, douzaine, vingtaine, centaine…* sont morphologiquement au singulier, mais **désignent une pluralité** d'êtres ou d'objets.

▶ Quand ils sont utilisés seuls, ils déterminent l'accord au singulier.

La foule se déchaîne.
         singulier

▶ Mais quand ils sont déterminés par un nom au pluriel, ils peuvent faire apparaître l'accord du verbe au pluriel.

Une foule de manifestants se déchaîne/se déchaînent.
      singulier   pluriel

110 Comment accorder le verbe avec un adverbe de quantité *(beaucoup, trop, peu…)* ?

▶ Il s'agit de *beaucoup, peu, pas mal, trop, assez, plus, moins, tant, autant,* de l'interrogatif (et exclamatif) *combien,* de l'exclamatif *que* et de quelques autres. Ces adverbes sont souvent complétés par un nom au pluriel.

Ils ont alors le même sens qu'un article au pluriel *(pas mal d'élèves = des élèves)* et imposent au verbe **l'accord au pluriel**.

Beaucoup d'élèves ont jugé l'épreuve difficile.

Peu de candidats ont échoué : moins de cent s'étaient présentés.

▶ *La plupart*, même avec un complément au pluriel, garde la possibilité de l'accord au singulier.

La plupart des élèves travaillent/travaille.

▶ Bizarrement, *plus d'un* exige l'accord au singulier, et *moins de deux* le pluriel.

Plus d'un est venu, moins de deux sont repartis.

111 Comment accorder dans le cas d'un verbe impersonnel ?

Le problème tient ici à l'absence de véritable sujet, au sens d'agent de l'action : où est, en ce sens, le sujet de *il pleut* ou de *il fallait* ? Le français a réglé le problème en imposant aux verbes impersonnels le pronom de la 3e personne du singulier ($\rightarrow$ § 100) et, nécessairement, l'accord au singulier. Cet accord au singulier se maintient même quand le verbe est pourvu d'un « sujet réel » au pluriel.

Il pleut des hallebardes.
      sujet réel pluriel

112 Comment accorder le verbe avec plusieurs sujets de même personne ?

Il est très fréquent qu'un verbe ait pour sujets plusieurs noms, communs ou propres, ou plusieurs pronoms coordonnés ou juxtaposés. Le principe général est que le verbe muni de plusieurs sujets (c'est-à-dire, en français, au moins deux) s'accorde **au pluriel**.

Le général et le colonel ne s'entendent pas bien.
   singulier   singulier   pluriel

Mathieu et Vincent ont fait des haltères.
singulier   singulier   pluriel

Celui-ci et celui-là travaillent correctement.
singulier   singulier   pluriel

Elle et lui ne font rien.
sing.   sing. pluriel

113 Comment accorder le verbe avec des sujets coordonnés par *ou* et *ni… ni* ?

Ces deux cas ne semblent pas poser de problème : il y a au moins deux sujets, et l'accord au pluriel paraît s'imposer. Cependant, certains grammairiens présentent les raisonnements suivants.

A Sujets coordonnés par *ou*

▶ Coordonnés par *ou*, les deux sujets entraînent l'accord **au singulier quand *ou* est exclusif**. On fera donc l'accord au singulier dans la phrase ci-dessous.

Une valise ou un gros sac m'est indispensable.
(= un seul des deux objets, à l'exclusion de l'autre, m'est indispensable)

Mais on fera l'accord au pluriel dans la phrase suivante.

Une valise ou un sac faciles à porter ne se trouvent pas partout.
(= les deux objets sont également difficiles à trouver)

▶ Malgré sa subtilité et la difficulté de son application pratique, ce raisonnement est acceptable. Il laisse d'ailleurs une trace dans l'accord avec *l'un ou l'autre* et *tel ou tel*, qui se fait le plus souvent au singulier, le *ou* y étant exclusif.

B Sujets coordonnés par *ni… ni*

▶ Coordonnés par la conjonction de sens négatif *ni… ni*, aucun des deux sujets n'est en mesure d'effectuer l'action du verbe, qui devrait donc rester au singulier.

Ni Henri V ni Charles XI n'a été roi.
   sujet   sujet   singulier

▶ Ce raisonnement est discutable : si on le suivait totalement, on s'interdirait d'accorder au pluriel les verbes des phrases négatives, où les sujets n'effectuent pas réellement l'action. Dans la pratique, on peut, à sa guise, faire l'accord **au singulier ou au pluriel**.

REM. L'expression *ni l'un ni l'autre entraîne* alternativement l'accord au singulier et au pluriel : *ni l'un ni l'autre ne travaille* ou *ne travaillent*.

114 Comment accorder le verbe avec des sujets unis par *comme, ainsi que, de même que, autant que...* ?

▶ L'accord se fait **au pluriel** quand l'expression qui unit les sujets a la fonction d'une coordination.

Le latin comme le grec ancien sont des langues mortes.
(= le latin et le grec)   pluriel

▶ L'accord **au singulier** indique que l'expression qui unit les termes conserve sa valeur comparative. C'est notamment ce qui se produit dans les cas d'incises isolées par des virgules.

Mexico, au même titre que Tokyo et São Paulo, est une mégapole.
                                         singulier

115 Comment accorder le verbe avec des sujets désignant le même objet ou la même personne ?

▶ Si les sujets désignent le même objet ou la même personne, l'accord se fait **au singulier**.

Le Premier ministre et le président du Conseil peut être le même homme.
  sujet   sujet   singulier

C'est l'année où mourut mon oncle et (mon) tuteur.
            singulier   sujet   sujet

Dans le second exemple, il est possible de ne pas répéter le déterminant devant le second sujet : *mon oncle et tuteur.*

▶ Si les sujets sont de sens apparentés, l'accord au singulier est le plus fréquent.

La joie et l'allégresse s'empara de lui. (= synonyme)

L'irritation, le courroux, la rage avait envahi son cœur. (= gradation)

116 Comment accorder le verbe avec des sujets qui ne sont pas à la même personne ?

⊃ **A** Accord en nombre
Quand les différents sujets relèvent de personnes différentes, l'accord en nombre se fait au pluriel.

⊃ **B Accord en personne**

La première personne prévaut sur les deux autres.

Toi et moi (nous) adorons la grammaire.

Toi, Raphaël et moi (nous) passons notre temps à faire de la syntaxe.

La deuxième personne prévaut sur la troisième.

Julien et toi (vous) avez dévoré un énorme plat de choucroute.

REM. On remarque dans ces exemples la présence facultative (marquée par les parenthèses) d'un pronom personnel récapitulatif qui indique la personne déterminant l'accord.

117 Comment accorder le verbe *être* avec l'attribut (*c'était… c'étaient*) ?

Quand le verbe *être* a pour sujet le pronom démonstratif *ce* (ou, parfois, les démonstratifs *ceci* ou *cela*, souvent précédés de *tout*) et qu'il introduit un attribut au pluriel (ou une suite d'attributs juxtaposés ou coordonnés), il peut, par **exception à la règle générale d'accord du verbe**, prendre la marque du pluriel, c'est-à-dire s'accorder avec l'attribut.

Ce sont eux.

Tout ceci sont des vérités.

C'étaient un capitaine, un lieutenant et un adjudant-chef.

Mais **ce sont nous*, **ce sont vous* sont impossibles.

REM. Ce phénomène insolite d'accord avec l'attribut est légèrement archaïsant. Il était beaucoup plus fréquent aux périodes anciennes de l'histoire de la langue.

Comment accorder le participe passé ?

118 Quelques remarques sur l'accord du participe passé

La question de l'accord du participe passé donne lieu à des développements considérables, qui peuvent laisser penser qu'il s'agit d'un des points les plus importants de la langue. Pour prendre la mesure de l'intérêt du problème, il est utile de ne pas perdre de vue les remarques suivantes.

A Un problème d'orthographe

L'accord du participe passé est un phénomène à peu près exclusivement orthographique. L'accord en genre ne se fait entendre à l'oral que pour un petit nombre de participes : par exemple, *offert*, *offerte*. Les participes passés, de loin les plus nombreux, sont terminés au masculin par *-é*, *-i* ou *-u* et ne marquent le féminin que dans l'orthographe : *-ée*, *-ie*, *-ue*. Quant à l'accord en nombre, il n'a jamais de manifestation orale, sauf dans les cas de liaisons, eux-mêmes assez rares.

B Des règles peu respectées

Même dans les cas où l'accord en genre apparaît à l'oral, on observe fréquemment, dans la langue contemporaine, que les règles n'en sont pas observées, notamment pour l'accord du participe passé avec un complément d'objet direct antéposé.

On entend très souvent : *les règles que nous avons enfreint* ou *les fautes que nous avons commis*, au lieu des formes régulières *enfreintes* et *commises*.

C Une règle artificielle

La règle de l'accord du participe passé avec le complément d'objet antéposé est l'une des plus artificielles de la langue française. On peut en dater avec précision l'introduction ; c'est le poète Clément Marot qui l'a formulée en 1538. Marot prenait pour exemple la langue italienne, qui a, depuis, partiellement renoncé à cette règle.

D Un problème politique ?

Il s'en est fallu de peu que la règle instituée par Marot ne fût abolie par le pouvoir politique. En 1900, un ministre de l'Instruction publique courageux, Georges Leygues, publia un arrêté qui « tolérait » l'absence d'accord. Mais la pression de l'Académie fut telle que le ministre fut obligé de remplacer son arrêté par un autre texte qui, publié en 1901, supprime la tolérance de l'absence d'accord, sauf dans le cas où le participe est suivi d'un infinitif ou d'un participe présent ou passé.

119 Comment accorder le participe passé employé sans auxiliaire ?

▶ La règle générale découle du statut du participe : verbe transformé en adjectif, il adopte les **règles d'accord de l'adjectif**. Il prend donc les marques de genre et de nombre du groupe nominal dont il dépend. La règle s'applique quelle que soit la fonction du participe par rapport au groupe nominal : épithète, apposition, attribut.

Les petites filles assises sur un banc regardaient les voitures.
　　　　　　　épithète féminin pluriel

Assises sur un banc, elles regardaient les voitures.
apposition féminin pluriel

Ce phénomène d'accord adjectival n'exclut naturellement pas la possibilité pour le participe d'avoir des compléments à la manière d'un verbe.

Expulsés par leur propriétaire, les locataires ont porté plainte.

Ces jeunes personnes semblent satisfaites de leur condition.

▶ La règle de l'accord du participe passé employé sans auxiliaire ne comporte que des exceptions apparentes, décrites ci-dessous.

⊃ **A** *Attendu*, *y compris*, *non compris*, *excepté*, *passé*, *supposé*, *vu*
Placés devant un groupe nominal (c'est-à-dire avant le déterminant du nom), ces participes passés prennent en réalité la fonction d'un préposition : ils deviennent invariables.

Vu les conditions atmosphériques, la cérémonie est reportée.
participe 　　groupe nominal
invariable

⊃ **B** *Étant donné*
Il arrive que ce participe passé passif s'accorde. C'est qu'il est compris comme une proposition participiale avec sujet postposé.

Étant donné(es) les circonstances…
　　　　　　　GN féminin pluriel

C *Ci-joint, ci-annexé, ci-inclus*

Caractéristiques de la correspondance administrative, ils obéissent en principe aux règles suivantes :

– ils restent invariables devant le groupe nominal ;

Ci-joint la photocopie de mon chèque.

– ils s'accordent quand ils sont placés après le nom ;

Voir la photocopie ci-jointe.

– ils s'accordent aussi quand, même antéposés, ils sont considérés comme des attributs du nom.

Vous trouverez ci-jointe une photocopie de mon chèque.

---

120 Comment accorder le participe passé employé avec *être* ? Règle générale

Employé avec l'auxiliaire *être*, le participe passé s'accorde en genre et en nombre **avec le sujet du verbe**. Cette règle vaut pour les verbes à la voix passive et pour les temps composés des verbes recourant à l'auxiliaire *être*.

Les voyageurs sont bloqués sur l'autoroute par la neige.

présent passif du verbe *bloquer*

Quelques jeunes filles sont descendues sur la chaussée.

passé composé du verbe *descendre*

REM. Le pronom *on* détermine normalement l'accord du participe au masculin singulier.

On est arrivé.

Cependant, l'accord peut se faire au pluriel, masculin le plus souvent, féminin quand les personnes désignées par *on* sont toutes des femmes.

On est reparties.

Plus rare, l'accord au féminin singulier indique que le pronom *on* vise une femme unique.

Alors, on est devenue bergère ?

121 Comment accorder le participe passé employé avec *avoir* ? Règle générale

▶ Le participe passé conjugué avec l'auxiliaire *avoir* ne s'accorde **jamais avec le sujet du verbe**.

Claudine n'aurait jamais fait cela.
sujet féminin   participe passé invariable

▶ Lorsqu'il est **précédé par un complément d'objet direct**, le participe passé s'accorde avec ce complément.

Ces histoires, il me les a déjà racontées. (les = ces histoires = féminin pluriel)
    COD   participe passé féminin pluriel

Le participe *racontées* s'accorde en genre et en nombre avec le complément d'objet direct qui le précède, le pronom personnel *les*, lui-même représentant le groupe nominal féminin pluriel *ces histoires*.

▶ La règle d'accord du participe passé avec le complément d'objet direct antéposé s'applique somme toute peu souvent. Elle exige en effet **deux conditions**, **finalement assez rares** : en premier lieu, le verbe doit avoir un complément d'objet direct ; par ailleurs, le complément d'objet doit être placé avant le participe, ce qui ne s'observe normalement que :

– dans les interrogatives où le COD est placé en tête de phrase ;

Quels médecins avez-vous consultés ?

– dans les phrases où le COD est un pronom personnel ;

Je donne mes livres dès que je les ai lus.

– dans les relatives où le pronom relatif est COD.

Les amies que tu as invitées sont très sympathiques.

122 Comment accorder le participe passé des verbes pronominaux ?

⊃ **A** Le constat

Dans la plupart des cas, on observe l'accord avec le sujet, quelle que soit la valeur de la construction pronominale.

Ils se sont lavés. (valeur réfléchie)

Elles se sont battues. (valeur réciproque)

La porte s'est ouverte d'elle-même. (valeur passive)

Ils se sont souvenus, elles se sont évanouies. (verbes essentiellement pronominaux)

B Les exceptions

▶ Dans la phrase suivante, l'accord avec le sujet ne se fait pas.

Elles se sont préparé une bonne soupe.

En effet, le pronom réfléchi *se* n'est pas le complément d'objet direct du verbe, mais désigne le bénéficiaire de l'action. Le COD est le GN *une bonne soupe*, comme le montre l'accord du participe passé dans la phrase suivante.

La soupe qu'elles se sont préparée était bonne.

▶ Les verbes tels que *se nuire, se parler, se plaire, se succéder…* ne déterminent pas l'accord du participe.

Plusieurs reines se sont succédé.

Elles se sont plu les unes aux autres.

Comme dans le cas précédent, le pronom réfléchi n'est pas le complément d'objet direct du verbe : **les reines n'ont pas succédé les reines* (COD), *elles ont succédé aux reines* (COI).

C Interprétation

▶ Le pronom réfléchi désigne par définition le même objet ou la même personne que le sujet. Dans *ils se sont lavés*, *ils*, sujet, et *se*, COD, désignent la même personne. On peut donc formuler de deux façons la règle d'accord dans ce cas :

1. l'accord se fait avec le sujet, comme dans les autres cas d'emploi de l'auxiliaire *être* ;

2. l'accord se fait avec le pronom COD *se* placé avant le participe, comme dans les autres cas d'emploi de l'auxiliaire *avoir*, dont *être* n'est ici que le substitut.

▶ Un argument en faveur de la seconde formulation est fourni par les cas où le pronom réfléchi n'est pas COD. Dans : *Elles se sont préparé une bonne soupe*, l'auxiliaire *être* fonctionne comme l'auxiliaire *avoir*, qui apparaîtrait si le verbe était construit sans pronom réfléchi : *Elles ont préparé une bonne soupe*.

123 Comment accorder le participe passé des verbes impersonnels ?

Le participe passé des verbes impersonnels reste toujours **invariable**, même dans le cas où il est précédé par un complément évoquant formellement le complément d'objet.

Les soins qu'il a fallu lui administrer ont été très coûteux.
        participe passé invariable

124 Comment accorder le participe passé après *en*, *l'*, *combien* ?

▶ Ces éléments à valeur pronominale ne comportent ni la catégorie du genre, ni celle du nombre. Ils sont donc en principe inaptes à déterminer l'accord du participe.

Des romans policiers, j'en ai lu à foison !
        participe passé invariable

Combien en as-tu lu ?
        participe passé invariable

La crise dure plus longtemps qu'on ne l'avait prévu
        participe passé invariable

▶ Toutefois, on fait parfois l'accord selon le genre et le nombre des noms représentés par ces pronoms, surtout quand ces noms sont exprimés sous forme de compléments.

Combien de livres as-tu acheté(s) ?

125 Comment accorder le participe passé de verbes tels que *durer*, *peser*, *coûter* ?

▶ Les compléments de ces verbes ne présentent que certains traits des compléments d'objet direct : ainsi, ils ne peuvent pas donner

213

lieu à la transformation passive. Placés avant un participe, ils ne déterminent pas, en principe, l'accord.

Je n'ai pas compté les heures que le voyage a duré.

Je n'ai pas compté les sommes que cela nous a coûté.

▶ Toutefois, ces verbes ont parfois un emploi authentiquement transitif, qui déclenche l'accord.

Les trois bébés que la sage-femme a pesés sont des triplés.

On observe souvent des confusions entre ces deux types d'emplois.

---

126 Comment accorder un participe passé suivi d'un infinitif ?

◗ **A** Participe passé d'un verbe de mouvement *(emmener, envoyer)* ou de sensation *(écouter, entendre, sentir, voir)*

▶ Dans la phrase : *La cantatrice que j'ai entendue chanter est d'origine américaine*, on fait l'accord, parce que le pronom *que*, représentant *la cantatrice*, est le COD de *j'ai entendu(es)*.

Au contraire, dans la phrase : *L'opérette que j'ai entendu chanter n'est pas un chef-d'œuvre*, on ne fait pas l'accord, car le pronom *que*, représentant *l'opérette*, est le COD de *chanter*, et non d'*entendre*.

▶ On fait donc l'accord quand le COD antéposé est le **complément du verbe principal** (cas de *la cantatrice*). On ne fait pas l'accord quand le COD antéposé est le **complément de l'infinitif** (cas de *l'opérette*).

▶ Un bon moyen de distinguer les deux cas consiste à remplacer le pronom par son antécédent. On oppose ainsi *j'ai entendu la cantatrice chanter* (où *la cantatrice* est bien le COD de *j'ai entendu*) à *j'ai entendu chanter l'opérette* (où *l'opérette* est bien le COD de *chanter*).

Toutefois, les confusions restent possibles, et l'arrêté de 1976 tolère les deux possibilités dans tous les cas.

⊃ **B** Participe passé de *faire* ou de *laisser*

▶ Traditionnellement, le participe passé du verbe *faire* (employé avec *avoir*) reste **invariable**.

Les courriers que je vous ai fait adresser sont à conserver.
participe passé invariable

▶ En principe, *laisser* – dont l'accord est strictement graphique – était soumis à la même règle que les verbes de mouvement et de sensation. Le Conseil supérieur de la langue française, en 1990, en a recommandé l'invariabilité dans tous les cas, sur le modèle de *faire*.

Je n'entends plus les enfants que j'ai laissé jouer dans le jardin.
participe passé invariable

INDEX GRAMMATICAL

Liste alphabétique
des verbes

Les numéros en couleur font référence aux tableaux de conjugaison.

A

7 abaisser ▸ T, P
7 abandonner ▸ T, P
21 abasourdir ▸ T
21 abâtardir ▸ T, P
60 abattre ▸ I, T, P
7 abdiquer ▸ I, T
21 abêtir ▸ T, P
7 abhorrer ▸ T
7 abîmer / abimer ▸ T, P
7 abjurer ▸ I, T
21 abolir ▸ T
7 abominer ▸ T
7 abonder ▸ I
7 abonner ▸ T, P
7 aborder ▸ I, T, P
7 aboutir ▸ T
21 aboutir ▸ I, Ti
19 aboyer ▸ I, T
7 abraser ▸ T, P
12 abréger ▸ T, P
7 abreuver ▸ T, P
7 abriter ▸ T, P
9 abroger ▸ T
21 abrutir ▸ T, P
7 s'absenter ▸ P
7 absorber ▸ T, P
78 absoudre ▸ T
25 s'abstenir ▸ P
66 abstraire ▸ T, D, P
7 abuser ▸ T, Ti, P
7 accabler ▸ T
7 accaparer ▸ T
7 accastiller ▸ T
11 accéder ▸ Ti
11 accélérer ▸ I, T, P
7 accentuer ▸ T, P
7 accepter ▸ T, Ti, P
7 accessoiriser ▸ T
7 accidenter ▸ T
7 acclamer ▸ T
7 acclimater ▸ T, P
7 accoler ▸ T, P

7 accommoder ▸ T, P
7 accompagner ▸ T, P
21 accomplir ▸ T, P
7 accorder ▸ T, P
7 accoster ▸ T, P
7 accoter ▸ T, P
7 accoucher ▸ I, T, Ti
7 accoupler ▸ T, P
35 accourir ▸ I, être ou avoir
7 accoutrer ▸ T, P
7 accoutumer ▸ T, P
7 accréditer ▸ T, P
7 accrocher ▸ I, T, P
73 accroître / accroitre ▸ T, Ti, P
21 s'accroupir ▸ P
30 accueillir ▸ T
7 acculer ▸ T
7 accumuler ▸ I, T, P
7 accuser ▸ T, P
7 achalander ▸ T
7 acharner ▸ T, P
7 acheminer ▸ T, P
13 acheter ▸ I, T, P
10 achever ▸ T, P
7 achopper ▸ Ti, P
17 acidifier ▸ T, P
7 aciduler ▸ T
7 s'acoquiner ▸ P
26 acquérir ▸ T, P
8 acquiescer ▸ I, Ti
7 acquitter ▸ T, P
7 actionner ▸ T
7 activer ▸ I, T, P
7 actualiser ▸ T
7 adapter ▸ T, P
7 additionner ▸ T, P
11 adhérer ▸ Ti
7 adjectiver ▸ T
63 adjoindre ▸ T, P
9 adjuger ▸ T, P
7 adjurer ▸ T
61 admettre ▸ T
7 administrer ▸ T
7 admirer ▸ T, P
7 admonester ▸ T
7 adonner ▸ I, P

7 adopter ▸ T
7 adorer ▸ T, P
7 adosser ▸ T, P
21 adoucir ▸ T, P
7 adresser ▸ T, P
7 adsorber ▸ T
7 aduler ▸ T
25 advenir ▸ I, être, D, seul. inf. et 3ᵉ pers.
11 aérer ▸ T, P
7 affabuler ▸ I, T
21 affadir ▸ T, P
21 affaiblir ▸ T, P
7 s'affairer ▸ P
7 affaisser ▸ T, P
7 affaler ▸ T, P
7 affamer ▸ T
7 affecter ▸ T, P
7 affectionner ▸ T
21 affermir ▸ T, P
7 afficher ▸ T, P
17 affilier ▸ T, P
7 affiner ▸ T, P
7 affirmer ▸ T, P
7 affleurer ▸ I, T
9 affliger ▸ T, P
7 affluer ▸ I
7 affoler ▸ T, P
21 affranchir ▸ T, P
11 affréter ▸ T
7 affriander ▸ T
7 affrioler ▸ T
7 affronter ▸ T, P
7 affubler ▸ T, P
7 affûter / affuter ▸ T, P
7 africaniser ▸ T, P
8 agacer ▸ T
8 agencer ▸ T, P
7 s'agenouiller ▸ P
11 agglomérer ▸ T, P
7 agglutiner ▸ T, P
7 aggraver ▸ T, P
21 agir ▸ I, P, imp. : *il s'agit de*
7 agiter ▸ T, P
21 agonir ▸ T
7 agoniser ▸ I
7 agrafer ▸ T
21 agrandir ▸ T, P

16 agréer ▸ T, Ti	
12 agréger ▸ T, P	
7 agrémenter ▸ T	
7 agresser ▸ T	
7 agripper ▸ T, P	
21 aguerrir ▸ T, P	
7 aguicher ▸ T	
7 ahaner ▸ I	
21 ahurir ▸ T	
7 aider ▸ T, Ti, P	
21 aigrir ▸ I, T, P	
7 aiguiller ▸ T	
7 aiguillonner ▸ T	
7 aiguiser ▸ T	
7 aimanter ▸ T, P	
7 aimer ▸ T, P	
7 ajourer ▸ T	
7 ajourner ▸ T	
7 ajouter ▸ T, Ti, P	
7 ajuster ▸ T, P	
7 alanguir ▸ T, P	
7 alarmer ▸ T, P	
7 alcooliser ▸ T, P	
7 alerter ▸ T	
11 aléser ▸ T	
11 aliéner ▸ T, P	
7 aligner ▸ T, P	
7 alimenter ▸ T, P	
7 aliter ▸ T, P	
7 allaiter ▸ I, T	
11 allécher ▸ T	
12 alléger ▸ T	
11 alléguer ▸ T	
24 aller ▸ I, être	
24 s'en aller ▸ P	
17 allier ▸ T, P	
9 allonger ▸ I, T, P	
7 allouer ▸ T	
7 allumer ▸ T, P	
21 alourdir ▸ T, P	
7 alpaguer ▸ T	
7 alphabétiser ▸ T	
11 altérer ▸ T, P	
7 alterner ▸ I, T	
21 alunir ▸ I	
7 amadouer ▸ T	
21 amaigrir ▸ T, P	
7 amalgamer ▸ T, P	

7 amarrer ▸ T	
7 amasser ▸ I, T, P	
7 ambitionner ▸ T	
7 améliorer ▸ T, P	
9 aménager ▸ T	
7 amender ▸ T, P	
10 amener ▸ T, P	
7 amenuiser ▸ T, P, avoir	
7 américaniser ▸ T, P	
21 amerrir ▸ I	
7 ameuter ▸ T, P	
7 amidonner ▸ T	
21 amincir ▸ I, T, P	
17 amnistier ▸ T	
7 amocher ▸ T, P	
21 amoindrir ▸ T, P	
21 amollir ▸ T, P	
13 amonceler ▸ T, P	
8 amorcer ▸ I, T, P	
21 amortir ▸ T, P	
7 s'amouracher ▸ P	
17 amplifier ▸ T, P	
7 amputer ▸ T	
7 amuser ▸ T, P	
7 analyser ▸ T, P	
7 ancrer ▸ T, P	
21 anéantir ▸ T, P	
17 anémier ▸ T, P	
17 anesthésier ▸ T	
7 angliciser ▸ T, P	
7 angoisser ▸ I, T, P	
7 animer ▸ T, P	
7 ankyloser ▸ T, P	
7 annexer ▸ T, P	
7 annihiler ▸ T, P	
8 annoncer ▸ T, P	
7 annoter ▸ T	
7 annuler ▸ T, P	
21 anoblir ▸ T	
7 anodiser ▸ T	
7 ânonner ▸ I, T	
7 anticiper ▸ I, T	
7 antidater ▸ T	

7 apaiser ▸ T, P	
41 apercevoir ▸ T, P	
7 apeurer ▸ T	
19 apitoyer ▸ T, P	
21 aplanir ▸ T, P	
21 aplatir ▸ T, P	
7 apostropher ▸ T, P	
69 apparaître / apparaitre ▸ I, être ou avoir	
7 appareiller ▸ I, T, P	
7 apparenter ▸ T, P	
17 apparier ▸ T, P	
25 appartenir ▸ Ti, P	
7 appâter ▸ T	
21 appauvrir ▸ T, P	
14 appeler ▸ T, Ti, P	
58 appendre ▸ T	
7 appertiser ▸ T	
21 appesantir ▸ T, P	
21 applaudir ▸ I, T, Ti, P	
7 appliquer ▸ T, P	
7 appointer ▸ T	
7 apporter ▸ T	
7 apposer ▸ T	
17 apprécier ▸ T, P	
7 appréhender ▸ T	
59 apprendre ▸ T	
7 apprêter ▸ T, P	
7 apprivoiser ▸ T, P	
7 approcher ▸ I, T, Ti	
7 s'approcher ▸ P	
21 approfondir ▸ T, P	
17 approprier ▸ T, P	
7 approuver ▸ T	
7 approvisionner ▸ T, P	
19 appuyer ▸ I, T, P	
7 apurer ▸ T	
7 araser ▸ T	
7 arbitrer ▸ T	
7 arborer ▸ T	
7 arc-bouter ▸ T, P	
7 archiver ▸ T	
7 argenter ▸ T, P	

T : transitif direct (p.p. variable) Ti : transitif indirect (p.p. invariable)
I : intransitif (p.p. invariable) P : construction pronominale
imp. : verbe impersonnel D : verbe défectif
être : verbe conjugué avec l'auxiliaire être
être ou avoir : conjugué avec les deux auxiliaires

7 arguer / argüer ▸ T, Ti
7 argumenter ▸ I
7 armer ▸ T, P
7 arnaquer ▸ T
7 aromatiser ▸ T
7 arpenter ▸ T
7 arquer ▸ I, T, P
7 arracher ▸ T, P
7 arraisonner ▸ T
9 arranger ▸ T, P
9 s'arréager ▸ P
7 arrêter ▸ I, T, P
7 arrimer ▸ T
7 arriver ▸ I, être
9 s'arroger ▸ P
21 arrondir ▸ T, P
7 arroser ▸ T
7 articuler ▸ I, T, P
7 aseptiser ▸ T
9 asperger ▸ T, P
7 asphalter ▸ T
17 asphyxier ▸ I, T, P
7 aspirer ▸ T, Ti
21 assagir ▸ T, P
31 assaillir ▸ T
21 assainir ▸ T
7 assaisonner ▸ T
7 assassiner ▸ T
11 assécher ▸ I, T, P
7 assembler ▸ T, P
11 asséner ▸ T
52 asseoir / assoir ▸ T, P
21 asservir ▸ T, P
12 assiéger ▸ T
7 assigner ▸ T
7 assimiler ▸ T, P
7 assister ▸ I, T
17 associer ▸ T, P
7 assoiffer ▸ T
21 assombrir ▸ T, P
7 assommer ▸ T, P
21 assortir ▸ T, P
21 assoupir ▸ T, P
21 assouplir ▸ T, P
21 assourdir ▸ I, T, P
21 assouvir ▸ T, P
21 assujettir ▸ T, P
7 assumer ▸ I, T, P

7 assurer ▸ I, T, P
7 asticoter ▸ T
7 astiquer ▸ T
62 astreindre ▸ T, P
7 atomiser ▸ T, P
17 atrophier ▸ T, P
7 attabler ▸ T, P
7 attacher ▸ I, T, P
7 attaquer ▸ T, P
7 s'attarder ▸ P
62 atteindre ▸ T, Ti
13 atteler ▸ I, T, P
58 attendre ▸ I, T, P
21 attendrir ▸ T, P
7 attenter ▸ I, Ti
7 atténuer ▸ T, P
7 atterrer ▸ T
21 atterrir ▸ I
7 attester ▸ T
7 attirer ▸ T, P
7 attiser ▸ T
7 attraper ▸ T, P
7 attribuer ▸ T, P
7 attrister ▸ T, P
7 attrouper ▸ T, P
7 auditionner ▸ I, T
7 augmenter ▸ I, T, P
7 augurer ▸ I, T
7 auréoler ▸ T, P
7 ausculter ▸ T
17 authentifier ▸ T
7 s'autocensurer ▸ P
88 s'autodétruire ▸ P
8 autofinancer ▸ T, P
17 autographier ▸ T
7 automatiser ▸ T
7 s'autoproclamer ▸ P
17 autopsier ▸ T
7 autoriser ▸ T, P
21 avachir ▸ I, T, P
7 avaler ▸ T
7 avaliser ▸ T
8 avancer ▸ I, T, P
9 avantager ▸ T
17 avarier ▸ T, P
7 aventurer ▸ T, P
11 avérer ▸ T, P
21 avertir ▸ T

7 aveugler ▸ T, P
7 aviser ▸ I, T, P
7 aviver ▸ T
2 avoir
7 avoisiner ▸ T, P
7 avorter ▸ I, T
7 avouer ▸ T, P
7 axer ▸ T
7 axiomatiser ▸ T

B

7 babiller ▸ I
7 bâcher ▸ T
7 bachoter ▸ I
7 bâcler ▸ I, T
7 badigeonner ▸ T, Ti, P
7 badiner ▸ I
7 bafouer ▸ T
7 bafouiller ▸ I, T
7 bâfrer ▸ I, T
7 bagarrer ▸ I, P
7 baguenauder ▸ I, P
7 baguer ▸ T
7 baigner ▸ I, T, P
7 bâiller *(bâiller d'ennui)*
▸ I
7 bâillonner ▸ T
7 baiser ▸ I, T
7 baisser ▸ I, T, P
7 balader ▸ T, P
7 balafrer ▸ T
8 balancer ▸ I, T, P
18 balayer ▸ T
17 balbutier ▸ I, T
7 baliser ▸ I, T
7 balkaniser ▸ T, P
7 baller ▸ I
7 ballonner ▸ T
7 ballotter ▸ I, T
7 banaliser ▸ T, P
7 bander ▸ I, T, P
21 bannir ▸ T
7 baptiser ▸ T
7 baragouiner ▸ I, T
7 baratiner ▸ I, T
7 barber ▸ T, P
7 barboter ▸ I, T
7 barbouiller ▸ T

7 barder ▸ T

7 barder ▸ I, imp. :
  ça barde

7 barguigner ▸ I

7 barioler ▸ T

7 barrer ▸ I, T, P

7 barricader ▸ T, P

21 barrir ▸ I

7 basculer ▸ I, T

7 baser ▸ T, P

7 bassiner ▸ T

7 batailler ▸ I

13 bateler ▸ I

7 bâter ▸ T

7 batifoler ▸ I

21 bâtir ▸ T, P

60 battre ▸ I, T, Ti, P

7 bavarder ▸ I

7 bavasser ▸ I

7 baver ▸ I

18 bayer *(aux corneilles)*
  ▸ I

7 bazarder ▸ T

17 béatifier ▸ T

7 bêcher ▸ I, T

7 bécoter ▸ T, P

13 becqueter ▸ T

16 béer ▸ I, D, seul. inf.,
  imparf. ind., part. prés.
  (béant), et l'expression
  bouche bée

18 bégayer ▸ I, T

7 bêler ▸ I

7 bémoliser ▸ T

17 bénéficier ▸ Ti

21 bénir ▸ T, p.p. *béni,
  bénie, bénis, bénies*
  distinct de l'adjectif :
  eau bénite

7 béquiller ▸ I, T

8 bercer ▸ T, P

7 berner ▸ T

7 besogner ▸ I

17 bêtifier ▸ I, T

7 bétonner ▸ I, T

7 beugler ▸ I, T

7 beurrer ▸ T, P

7 biaiser ▸ I, T

7 biberonner ▸ I

7 bicher ▸ I

7 bichonner ▸ T, P

7 bidonner ▸ I, Ti, P

7 bidouiller ▸ T

7 biffer ▸ T

7 bifurquer ▸ I

7 bigarrer ▸ T

7 bigler ▸ I, T

7 se biler ▸ P

7 biner ▸ I, T

7 biseauter ▸ T

7 biser ▸ I, T

7 bisquer ▸ I

7 bisser ▸ T

7 bistrer ▸ T

7 bitumer ▸ T

7 bivouaquer ▸ I

7 bizuter ▸ T

7 blaguer ▸ I

7 blâmer ▸ T, P

21 blanchir ▸ I, T, P

7 blaser ▸ T, P

11 blasphémer ▸ I, T

21 blêmir ▸ I

7 blesser ▸ T, P

21 bleuir ▸ I, T

7 blinder ▸ I, T, P

21 blondir ▸ I, T, P

7 bloquer ▸ T, P

21 se blottir ▸ P

7 bluffer ▸ I, T

7 bobiner ▸ T

75 boire ▸ I, T, P

7 boiser ▸ T

7 boiter ▸ I

7 boitiller ▸ I

7 bombarder ▸ T

7 bomber ▸ I, T

21 bondir ▸ I

17 bonifier ▸ T, P

7 border ▸ T

7 borner ▸ T, P

13 bosseler ▸ T

7 bosser ▸ I, T

7 botter ▸ I, T, P

7 boucaner ▸ I, T

7 boucher ▸ T, P

7 bouchonner ▸ I, T, P

7 boucler ▸ I, T, P

7 bouder ▸ I, T, P

7 boudiner ▸ T

7 bouffer ▸ I, T, P

21 bouffir ▸ I, T

9 bouger ▸ I, T

7 bougonner ▸ I, T

33 bouillir ▸ I, T

7 bouillonner ▸ I, T

7 bouler ▸ I, T

7 bouleverser ▸ T

7 boulocher ▸ I

7 boulonner ▸ I, T

7 boulotter ▸ I, T

7 bouquiner ▸ I, T

7 bourdonner ▸ I

7 bourgeonner ▸ I

7 bourlinguer ▸ I

7 bourrer ▸ I, T, P

7 boursicoter ▸ I

7 boursouf(f)ler ▸ T

7 bousculer ▸ T, P

7 bousiller ▸ T

7 bouter ▸ T

7 boutonner ▸ I, T, P

7 bouturer ▸ T

7 boxer ▸ I, T

7 boycotter ▸ T

7 braconner ▸ I, T

7 brader ▸ T

7 brailler ▸ I, T

66 braire ▸ I, T, D, seul.
  3ᵉ pers., ind. prés., futur,
  cond. prés.

7 braiser ▸ T

7 bramer ▸ I

7 brancarder ▸ T

T : transitif direct (p.p. variable)   Ti : transitif indirect (p.p. invariable)
I : intransitif (p.p. invariable)   P : construction pronominale
imp. : verbe impersonnel   D : verbe défectif
être : verbe conjugué avec l'auxiliaire être
être ou avoir : conjugué avec les deux auxiliaires

7 brancher ▸ I, T, P
21 brandir ▸ T
7 branler ▸ I, T
7 braquer ▸ I, T
7 brasser ▸ T, P
7 braver ▸ I, T
7 bredouiller ▸ I, T
13 breveter ▸ T
7 bricoler ▸ I, T
7 brider ▸ T
9 bridger ▸ I
7 briguer ▸ T
7 briller ▸ I
7 brimbaler ▸ I, T
7 brimer ▸ T
7 briquer ▸ T
7 briser ▸ I, T, P
7 brocanter ▸ I, T
7 brocarder ▸ T
7 brocher ▸ T
7 broder ▸ I, T
7 broncher ▸ I
7 bronzer ▸ I, T, P
7 brosser ▸ I, T, P
7 brouillasser ▸ I, imp. :
il brouillasse
7 brouiller ▸ T, P
7 brouter ▸ I, T
19 broyer ▸ T
7 bruiner ▸ I, imp. :
il bruine
21 bruire ▸ I, D, seul. part.
prés. *(bruissant)*, 3e pers.,
ind. prés. imparf.
(il bruit/ils bruissent,
il bruissait/ils bruissaient)
et subj. prés. *(qu'il*
bruisse/qu'ils bruissent),
p.p. invariable *(brui)*
7 bruisser ▸ I
7 bruiter ▸ T
7 brûler / bruler ▸ I, T, P
21 brunir ▸ I, T
7 brusquer ▸ T
7 brutaliser ▸ T
7 budgéter ▸ T
7 budgétiser ▸ T
7 buller ▸ I

7 bureaucratiser ▸ T, P
7 buriner ▸ T
7 buter ▸ I, T, P
7 butiner ▸ I, T
7 butter ▸ T

C

7 câbler ▸ T
7 cabosser ▸ T
7 caboter ▸ I
7 cabotiner ▸ I
7 cabrer ▸ T, P
7 cacher ▸ T, P
13 cacheter ▸ T
7 cachetonner ▸ I
7 cadastrer ▸ T
7 cadenasser ▸ T
8 cadencer ▸ T
7 cadrer ▸ I, T
7 cafarder ▸ I, T
7 cafouiller ▸ I
7 cafter ▸ I, T
7 cahoter ▸ I, T
7 cailler ▸ I, T, P
7 caillouter ▸ T
7 cajoler ▸ T
7 calciner ▸ T
7 calculer ▸ I, T
7 caler ▸ I, T, P
7 calfater ▸ T
7 calfeutrer ▸ T, P
7 calibrer ▸ T
7 câliner ▸ T
17 calligraphier ▸ T
7 calmer ▸ T, P
17 calomnier ▸ T
7 calquer ▸ T
7 cambrer ▸ T, P
7 cambrioler ▸ T
7 camionner ▸ T
7 camoufler ▸ T, P
7 camper ▸ I, T, P
7 canaliser ▸ T
7 canarder ▸ I, T
7 cancaner ▸ I
13 canneler ▸ T
7 cannibaliser ▸ T
7 canoniser ▸ T

7 canonner ▸ T
7 canoter ▸ I
7 cantonner ▸ I, T, P
7 caoutchouter ▸ T
7 caparaçonner ▸ T, P
7 capitaliser ▸ I, T
7 capitonner ▸ T
7 capituler ▸ I
7 capoter ▸ I, T
7 capsuler ▸ T
7 capter ▸ T
7 captiver ▸ T
7 capturer ▸ T
7 capuchonner ▸ T
13 caqueter ▸ I
7 caracoler ▸ I
7 caractériser ▸ T, P
7 caramboler ▸ I, T
7 caraméliser ▸ I, T, P
7 carboniser ▸ T
7 carburer ▸ I, T
7 carder ▸ T
8 carencer ▸ T
11 caréner ▸ I, T
7 caresser ▸ T, P
7 carguer ▸ T
7 caricaturer ▸ T
17 carier ▸ T, P
7 carillonner ▸ I, T
7 carotter ▸ I, T
13 carreler ▸ T
7 carrer ▸ T, P
7 carrosser ▸ T
7 cartonner ▸ I, T
7 caser ▸ T, P
7 casquer ▸ T
7 casser ▸ I, T, P
7 castagner ▸ I, T, P
7 castrer ▸ T
7 cataloguer ▸ T
7 catalyser ▸ T
7 catapulter ▸ T
7 catastropher ▸ T
7 catéchiser ▸ T
7 cauchemarder ▸ I
7 causer ▸ I, T
7 cautériser ▸ T
7 cautionner ▸ T

7 cavaler ► I, T, P	7 chavirer ► I, T	7 cirer ► T
7 caviarder ► T	7 cheminer ► I	7 cisailler ► T
11 céder ► I, T, Ti	7 chercher ► I, T, P	13 ciseler ► T
62 ceindre ► T	21 chérir ► T	7 citer ► T
7 ceinturer ► T	7 chevaucher ► I, T, P	7 civiliser ► T, P
11 célébrer ► T	7 cheviller ► T	7 claironner ► I, T
13 celer ► T	7 chevroter ► I	7 clamer ► T
7 cémenter ► T	7 chiader ► T	7 clapoter ► I
7 cendrer ► T	7 chialer ► I	7 claquemurer ► T, P
7 censurer ► T	7 chicaner ► I, T, Ti, P	7 claquer ► I, T, P
7 centraliser ► T	7 chiffonner ► I, T, P	17 clarifier ► T, P
7 centrer ► T	7 chiffrer ► I, T, P	7 classer ► T, P
9 centrifuger ► T	7 chiner ► T	17 classifier ► T
7 centupler ► I, T	7 chinoiser ► I	7 cligner ► I, T, Ti
7 cercler ► T	7 chiper ► T	7 clignoter ► I
7 cerner ► T	7 chipoter ► I	7 climatiser ► T
17 certifier ► T	7 chiquer ► I, T	7 cliquer ► I
7 cesser ► I, T, Ti	55 choir ► I, D	13 cliqueter ► I
7 chagriner ► T	21 choisir ► T	7 clochardiser ► T, P
7 chahuter ► I, T	7 chômer ► I, T	7 cloisonner ► T
7 chaîner / chainer ► T	7 choper ► T	7 cloîtrer / cloitrer ► T, P
7 chalouper ► I	7 choquer ► T, P	7 cloner ► T
7 se chamailler ► P	17 chorégraphier ► I, T	7 clopiner ► I
7 chamarrer ► T	17 chosifier ► T	7 cloquer ► I, T
7 chambarder ► T	7 chouchouter ► T	76 clore ► T, D
7 chambouler ► T	19 choyer ► T	7 clôturer ► I, T
7 chambrer ► T	7 christianiser ► T	7 clouer ► T
13 chanceler ► I	7 chromer ► T	7 clouter ► T
7 changer ► I, T, Ti, P	11 chronométrer ► T	7 coaguler ► I, T, P
7 chanter ► I, T	7 chuchoter ► I, T	7 coaliser ► T, P
7 chantonner ► I, T	7 chuinter ► I	7 coasser ► I
7 chaparder ► I, T	7 chuter ► I	7 cocher ► T
7 chapeauter ► T	7 cibler ► T	7 coder ► I, T
7 chaperonner ► T	7 cicatriser ► I, T, P	17 codifier ► T
7 chapitrer ► T	7 ciller ► I	7 coéditer ► T
7 charbonner ► I, T	7 cimenter ► T, P	7 coexister ► I
7 charcuter ► T	7 cingler ► I, T	7 coffrer ► T
9 charger ► I, T, P	7 cintrer ► T	11 cogérer ► T
7 charmer ► I, T	87 circoncire ► T, p.p.	7 cogiter ► I, T
7 charpenter ► T	*circoncis, circoncise,*	7 cogner ► T, Ti, P
17 charrier ► I, T	86 circonscrire ► T, P	7 cohabiter ► I
7 chasser ► I, T	25 circonvenir ► T	7 coiffer ► T, P
17 châtier ► T, P	7 circuler ► I	8 coincer ► T, P
7 chatouiller ► T, P		
19 chatoyer ► I	T : transitif direct (p.p. variable) Ti : transitif indirect (p.p. invariable)	
7 châtrer ► T	I : intransitif (p.p. invariable) P : construction pronominale	
7 chauffer ► I, T, P	imp. : verbe impersonnel D : verbe défectif	
7 chausser ► I, T, P	être : verbe conjugué avec l'auxiliaire être	
	être ou avoir : conjugué avec les deux auxiliaires	

7 coïncider ► I
7 collaborer ► I, Ti
7 collationner ► I, T
7 collecter ► T
7 collectionner ► T
7 collectiviser ► T
7 coller ► I, T, Ti, P
13 colleter ► T, P
9 colliger ► T
7 colmater ► T
7 coloniser ► T
7 colorer ► T, P
17 colorier ► T
7 coloriser ► T
7 colporter ► T
7 coltiner ► T, P
60 combattre ► I, T, Ti
7 combiner ► T
7 combler ► T
7 commander ► I, T, Ti, P
7 commanditer ► T
7 commémorer ► T
8 commencer ► I, T, Ti
7 commenter ► T
8 commercer ► I
7 commercialiser ► T
61 commettre ► T, P
7 commissionner ► T
7 commotionner ► T
7 commuer ► T
17 communier ► I
7 communiquer ► I, T, P
7 commuter ► I, T
7 compacter ► T
69 comparaître /
  comparaitre ► I
7 comparer ► T, P
7 compartimenter ► T
7 compasser ► T
21 compatir ► Ti
7 compenser ► T
7 compiler ► T
68 complaire ► Ti
68 se complaire ► P, p.p.
  invariable
11 compléter ► T, P
7 complexer ► T
17 complexifier ► T, P

7 complimenter ► T
7 compliquer ► T, P
7 comploter ► I, T, Ti
7 comporter ► T, P
7 composer ► I, T, P
7 composter ► T
59 comprendre ► T, P
7 compresser ► T
7 comprimer ► T
61 compromettre ► I, T, P
7 comptabiliser ► T
7 compter ► I, T, P
7 compulser ► T
7 concasser ► T
11 concéder ► T
7 concentrer ► T, P
7 conceptualiser ► I, T
7 concerner ► T, seul.
  3e pers. à la voix active :
  les autres au passif
7 concerter ► I, T, P
41 concevoir ► T, P
17 concilier ► T, P
77 conclure ► I, T, Ti, P
7 concocter ► T
7 concorder ► I
35 concourir ► I, Ti
7 concrétiser ► T, P
8 concurrencer ► T
7 condamner ► T
7 condenser ► T, P
58 condescendre ► Ti
7 conditionner ► T
88 conduire ► T, P
7 confectionner ► T, P
11 conférer ► I, T, Ti
7 confesser ► T, P
17 confier ► T, P
7 configurer ► T
7 confiner ► Ti, P
87 confire ► T
7 confirmer ► T, P
7 confisquer ► T
7 confluer ► I
58 confondre ► T, P
7 conformer ► T, P
7 conforter ► T
7 confronter ► T

17 congédier ► T
13 se congeler ► P
7 congestionner ► T
11 conglomérer ► T
7 conglutiner ► T
7 congratuler ► T, P
7 conjecturer ► I, T
7 conjuguer ► T, P
7 conjurer ► T
69 connaître / connaitre
  ► T, P
7 connecter ► T
7 connoter ► T
26 conquérir ► T, P
7 consacrer ► T, P
7 conseiller ► T, Ti
27 consentir ► T, Ti
7 conserver ► T, P
11 considérer ► T, P
7 consigner ► T
7 consister ► I
7 consoler ► I, T, P
7 consolider ► T, P
7 consommer ► I, T, P
7 conspirer ► I, T, Ti
7 conspuer ► T
7 constater ► T
7 consteller ► T
7 consterner ► T
7 constiper ► I, T
7 constituer ► T, P
88 construire ► I, T, P
7 consulter ► I, T, P
7 consumer ► T, P
7 contacter ► T
7 contaminer ► T
7 contempler ► T, P
25 contenir ► T, P
7 contenter ► T, P
7 conter ► T
7 contester ► T
7 continuer ► I, T, Ti, P
7 se contorsionner ► P
7 contourner ► T
7 contracter ► T
7 contractualiser ► T
64 contraindre ► T, P
17 contrarier ► T, P

7 contraster ► I, T
7 contre-attaquer ► I
8 contrebalancer ► T
8 s'en contrebalancer ► P
7 contrecarrer ► T
84 contredire ► T, P
67 contrefaire ► T
7 contre-indiquer ► T
7 contrer ► I, T
7 contresigner ► T
25 contrevenir ► Ti
7 contribuer ► Ti
7 contrôler ► T, P
7 controverser ► I, T
7 contusionner ► T
65 convaincre ► T, P
25 convenir ► I, Ti, être
ou avoir
25 se convenir ► P,
p.p. invariable
9 converger ► I
7 converser ► I
21 convertir ► T, P
17 convier ► T
7 convoiter ► I, T
7 convoler ► I
7 convoquer ► T
19 convoyer ► T
7 se convulser ► P
11 coopérer ► I, Ti
7 coordonner ► T
17 copier ► I, T
7 copiner ► I
88 coproduire ► T
7 copuler ► I
7 corder ► T
7 corner ► I, T
11 corréler ► T
58 correspondre ► I, Ti, P
9 corriger ► T, P
7 corroborer ► T
57 corrompre ► T, P
7 corser ► T, P
7 cosigner ► T
7 costumer ► T, P
7 coter ► I, T
7 cotiser ► I, P

19 côtoyer ► T, P
7 coucher ► I, T, P
7 couder ► T
79 **coudre** ► T
7 couiner ► I
7 couler ► I, T, P
7 coulisser ► I, T
7 couper ► I, T, Ti, P
7 coupler ► T
7 courbaturer ► T,
2 formes au p.p. :
*courbaturé, courbaturée,
courbaturés, courbaturées ;
courbatu, courbatue,
courbatus, courbatues*
7 courber ► I, T, P
35 **courir** ► I, T
7 couronner ► T, P
8 se courroucer ► P
7 courser ► T
7 court-circuiter ► T
7 courtiser ► T
7 cousiner ► I
7 coûter / couter ► I, T, Ti
7 couver ► I, T
29 **couvrir** ► T, P
7 cracher ► I, T
64 **craindre** ► I, T
7 cramer ► I, T
7 cramponner ► T, P
7 craner ► T
7 crâner ► I
7 cranter ► T
7 crapahuter ► I
13 craqueler ► T, P
7 craquer ► I, T
13 craqueter ► I
7 se crasher ► P
7 cravacher ► I, T
7 cravater ► T
7 crawler ► I
7 crayonner ► T
11 crécher ► I

7 crédibiliser ► T
7 créditer ► T
16 **créer** ► T, P
13 créneler ► T
7 crêper ► T, P
21 crépir ► T
7 crépiter ► I
7 crétiniser ► T
7 creuser ► I, T, P
7 crevasser ► T, P
10 crever ► I, T, P
7 criailler ► I
7 cribler ► T
17 crier ► I, T
7 criminaliser ► T
7 crisper ► T, P
7 crisser ► I
7 cristalliser ► I, T, P
7 critiquer ► T
7 croasser ► I
7 crocher ► I, T
13 crocheter ► T
74 **croire** ► I, T, Ti, P
7 croiser ► I, T, P
73 **croître / croitre** ► I
7 croquer ► I, T
7 crotter ► I, T, P
7 crouler ► I
21 croupir ► I
7 croustiller ► I
7 croûter / crouter ► I, T
17 crucifier ► T
7 crypter ► T
30 **cueillir** ► T
7 cuirasser ► T, P
88 **cuire** ► I, T
7 cuisiner ► I, T
7 se cuiter ► P
7 cuivrer ► T
7 culbuter ► I, T
7 culminer ► I
7 culotter ► T, P
7 culpabiliser ► I, T

T : transitif direct (p.p. variable)   Ti : transitif indirect (p.p. invariable)
I : intransitif (p.p. invariable)   P : construction pronominale
imp. : verbe impersonnel   D : verbe défectif
être : verbe conjugué avec l'auxiliaire être
être ou avoir : conjugué avec les deux auxiliaires

7 cultiver ▸ T, P
7 cumuler ▸ T
7 curer ▸ T, P
7 cuver ▸ I, T

D

17 dactylographier ▸ T
7 daigner (+ inf.) ▸ T
7 daller ▸ T
7 damer ▸ I, T
7 damner ▸ I, T, P
7 dandiner ▸ T, P
7 danser ▸ I, T
7 darder ▸ I, T
7 dater ▸ I, T
7 dealer ▸ T
7 déambuler ▸ I
7 déballer ▸ I, T
7 se déballonner ▸ P
7 débanaliser ▸ T
7 débander ▸ I, T, P
7 débarbouiller ▸ T, P
7 débarder ▸ T
7 débarquer ▸ I, T
7 débarrasser ▸ I, T, P
60 débattre ▸ T, P
7 débaucher ▸ T
7 débecter ▸ T
7 débiliter ▸ T
7 débiner ▸ T, P
7 débiter ▸ T
11 déblatérer ▸ I
18 déblayer ▸ T
7 débloquer ▸ I, T
7 débobiner ▸ T
7 déboiser ▸ T
7 déboîter /déboiter
  ▸ I, T, P
7 débonder ▸ T
7 déborder ▸ I, T
13 débosseler ▸ T
7 débotter ▸ T, P
7 déboucher ▸ I, T
7 déboucler ▸ T
7 débouler ▸ I, T
7 déboulonner ▸ T
7 débourber ▸ T
7 débourrer ▸ I, T

7 débourser ▸ T
7 déboussoler ▸ T
7 déboutonner ▸ T, P
7 se débrailler ▸ P
7 débrancher ▸ T, P
18 débrayer ▸ I, T
7 débrider ▸ I, T
7 débriefer ▸ T
7 débrouiller ▸ T, P
7 débrouissailler ▸ T
7 débucher ▸ I, T
7 débusquer ▸ T
7 débuter ▸ I, T
13 décacheter ▸ T
7 décaisser ▸ T
17 décalcifier ▸ T, P
7 décaler ▸ T
7 décalotter ▸ T
7 décalquer ▸ T
7 décamper ▸ I
7 décanter ▸ I, T, P
7 décaper ▸ T
7 décapiter ▸ T
7 décapoter ▸ T
7 décapsuler ▸ T
7 se décarcasser ▸ P
13 décarreler ▸ T
21 se décatir ▸ P
11 déceler ▸ I, être
13 déceler ▸ T
11 décélérer ▸ I
7 décentraliser ▸ T, P
7 décentrer ▸ T, P
7 décercler ▸ T
7 décérébrer ▸ T
7 décerner ▸ T
13 décerveler ▸ T
41 décevoir ▸ T
7 déchaîner / déchainer
  ▸ T, P
7 déchanter ▸ I
9 décharger ▸ I, T, P
7 décharner ▸ T
7 déchausser ▸ I, T, P
7 déchiffonner ▸ T
7 déchiffrer ▸ I, T
13 déchiqueter ▸ T
7 déchirer ▸ T, P

55 déchoir ▸ I, D
7 décider ▸ T, Ti, P
7 décimer ▸ T
7 déclamer ▸ I, T
7 déclarer ▸ T, P
7 déclasser ▸ T
7 déclencher ▸ T, P
7 décliner ▸ I, T, P
7 décloisonner ▸ T
7 déclouer ▸ T
7 décocher ▸ T
7 décoder ▸ T
7 décoiffer ▸ T, P
8 décoincer ▸ T
11 décolérer ▸ I
7 décoller ▸ I
13 décolleter ▸ T, P
7 décoloniser ▸ T
7 décolorer ▸ T, P
7 décommander ▸ T, P
7 décomposer ▸ T, P
7 décompresser ▸ I, T
7 décompter ▸ I, T
7 déconcentrer ▸ T, P
7 déconcerter ▸ T
7 déconditionner ▸ T
13 décongeler ▸ T
7 décongestionner ▸ T
7 déconnecter ▸ T
7 déconseiller ▸ T
11 déconsidérer ▸ T, P
88 déconstruire ▸ T
7 décontaminer ▸ T
8 décontenancer ▸ T, P
7 décontracter ▸ T, P
7 décorer ▸ I, T
7 décorner ▸ T
7 décortiquer ▸ T
7 découcher ▸ I
79 découdre ▸ T, P
7 découler ▸ I, Ti
7 découper ▸ T
9 décourager ▸ T, P
7 découronner ▸ T
29 découvrir ▸ T, P
7 décrasser ▸ T, P
7 décrédibiliser ▸ T
7 décréditer ▸ T

7 décrêper ► T
21 décrépir ► T
11 décréter ► T
17 décrier ► T
86 décrire ► T
7 décrisper ► T, P
7 décrocher ► I, T
7 décroiser ► T
73 décroître / décroitre ► I
7 décrotter ► T
7 déculotter ► T, P
7 déculpabiliser ► T
7 décupler ► I, T
7 dédaigner ► T, Ti
8 dédicacer ► T
17 dédier ► T
84 dédire ► T, P
9 dédommager ► T, P
7 dédouaner ► T, P
7 dédoubler ► T, P
7 dédramatiser ► I, T
88 déduire ► T, P
32 défaillir ► I
67 défaire ► T, P
7 défalquer ► T
7 défatiguer ► I, T, P
7 défausser ► T, P
7 défavoriser ► T
58 défendre ► T, P
7 défenestrer ► T, P
11 déféquer ► I, T
11 déférer ► T, Ti
7 déferler ► I, T
13 déficeler ► T
17 défier ► T, P
7 défigurer ► T
7 défiler ► I, T, P
21 définir ► T, P
7 déflorer ► T
8 défoncer ► T, P
7 déformer ► T, P
7 défouler ► T, P
21 défraîchir / défraichir ► T
18 défrayer ► T
7 défricher ► T
7 défriper ► T

7 défriser ► T
7 défroisser ► T, P
7 défroquer ► I, T
9 dégager ► I, T, P
7 dégainer ► T
7 déganter ► T, P
21 dégarnir ► T, P
7 dégazer ► I, T
13 dégeler ► I, T, P
11 dégénérer ► I
7 dégivrer ► T
7 déglacer ► T
7 déglinguer ► T, P
21 déglutir ► I, T
7 dégobiller ► I, T
7 dégommer ► T
7 dégonfler ► I, T, P
9 dégorger ► I, T, P
7 dégotter ► I, T
7 dégouliner ► I
7 dégoupiller ► T
21 dégourdir ► T, P
7 dégoûter / dégouter ► T, P
7 dégrader ► T, P
7 dégrafer ► T, P
7 dégraisser ► T
7 dégringoler ► I, T
7 dégriser ► T
21 dégrossir ► T, P
7 se dégrouiller ► P
21 déguerpir ► I, T
7 dégueuler ► I, T
7 déguiser ► T, P
7 dégurgiter ► T
7 déguster ► T
7 se déhancher ► P
17 déifier ► T
7 déjanter ► T
7 déjeuner ► I
7 déjouer ► T
9 se déjuger ► P
7 délabrer ► T, P

8 délacer ► T
7 délasser ► I, T, P
7 délaver ► T
18 délayer ► T
7 délecter ► T, P
11 déléguer ► T
7 délester ► T, P
11 délibérer ► I, Ti
17 délier ► T, P
7 délimiter ► T
7 délirer ► I
7 déliter ► T, P
7 délivrer ► T, P
7 délocaliser ► T
9 déloger ► I, T
7 démagnétiser ► T
7 démailloter ► T
7 démancher ► T, P
7 demander ► T, P
9 démanger ► I, T
13 démanteler ► T
7 démantibuler ► T
7 démaquiller ► T, P
7 démarcher ► T
7 démarquer ► T, P
7 démarrer ► I, T
7 démasquer ► T, P
7 démâter ► I, T
7 dématérialiser ► T
7 démêler ► T, P
7 démembrer ► T
9 déménager ► I, T, être ou avoir
10 se démener ► P
27 démentir ► T, P
7 démériter ► I
61 démettre ► T, P
7 demeurer ► I, être
7 démilitariser ► T
7 déminer ► T
7 déminéraliser ► T
7 démissionner ► I, Ti
7 démobiliser ► I, T

T : transitif direct (p.p. variable)   Ti : transitif indirect (p.p. invariable)
I : intransitif (p.p. invariable)   P : construction pronominale
imp. : verbe impersonnel   D : verbe défectif
être : verbe conjugué avec l'auxiliaire être
être ou avoir : conjugué avec les deux auxiliaires

7 démocratiser ► T, P
7 démoder ► T, P
21 démolir ► T
7 démonter ► T, P
7 démontrer ► T
7 démoraliser ► T, P
58 démordre ► Ti
7 démotiver ► T
7 démouler ► T
17 démultiplier ► T
21 démunir ► T, P
17 démystifier ► T, P
7 dénationaliser ► T
7 dénaturaliser ► T
7 dénaturer ► T
9 déneiger ► T
7 déniaiser ► T, P
7 dénicher ► I, T
17 dénier ► T
7 dénigrer ► T
13 déniveler ► T
7 dénombrer ► T
7 dénommer ► T
8 dénoncer ► T, P
7 dénoter ► I, T
7 dénouer ► T, P
7 dénoyauter ► T
17 densifier ► T
13 denteler ► T
7 dénuder ► T, P
7 se dénuer ► P
7 dépanner ► T
13 dépaqueter ► T
7 déparasiter ► T
7 dépareiller ► T
7 déparer ► T
9 départager ► T
7 départementaliser ► T
27 départir ► T, P
7 dépasser ► I, T, P
7 dépassionner ► T
7 dépaver ► T
7 dépayser ► T
8 dépecer ► T
7 dépêcher ► T, P
62 dépeindre ► T
7 dépénaliser ► T
58 dépendre ► T, Ti

7 dépenser ► T, P
21 dépérir ► I
7 dépersonnaliser ► T, P
7 dépêtrer ► T, P
7 dépeupler ► T, P
7 déphaser ► T
7 dépiauter ► T
7 dépister ► T
7 dépiter ► T, P
8 déplacer ► T, P
7 déplafonner ► T
68 déplaire ► Ti
68 se déplaire ► P,
      p.p. invariable
7 déplanter ► T
17 déplier ► T, P
7 déplisser ► T, P
7 déplorer ► T
19 déployer ► T, P
7 déplumer ► T, P
21 dépolir ► T, P
7 dépolluer ► T
7 déporter ► T, P
7 déposer ► I, T, P
11 déposséder ► T
7 dépoter ► T
7 dépouiller ► T, P
11 dépoussiérer ► T
7 dépraver ► T
17 déprécier ► T, P
59 se déprendre ► P
7 dépressuriser ► T
7 déprimer ► I, T, P
7 dépriser ► T
13 dépuceler ► T
7 déraciner ► T
7 dérailler ► I
7 déraisonner ► I
9 déranger ► T, P
7 déraper ► I
7 dératiser ► T
11 dérégler ► T
7 déresponsabiliser
      ► T
7 dérider ► T, P
7 dériver ► I, T, Ti
7 dérober ► T, P
9 déroger ► Ti

7 dérouiller ► I, T
7 dérouler ► T, P
7 dérouter ► T, P
7 désabonner ► T, P
7 désabuser ► T
7 désacclimater ► T
7 désaccorder ► T, P
7 désaccoupler ► T
7 désaccoutumer ► T, P
7 désacraliser ► T
7 désactiver ► T
7 désadapter ► T, P
7 désaffecter ► T
7 se désaffectionner ► P
12 désagréger ► T, P
11 désaliéner ► T
7 désaligner ► T
7 désalper ► I
11 désaltérer ► T, P
7 désambiguïser ► T
7 désaminer ► T
8 désamorcer ► T, P
17 désapparier ► T
7 désappointer ► T
7 désapprouver ► I, T
7 désarçonner ► T
7 désarmer ► I, T, P
7 désarticuler ► T, P
21 désassortir ► T
9 désavantager ► T
7 désavouer ► T
7 désaxer ► T
7 desceller ► T
58 descendre ► I, T, être
      ou avoir
7 désembourber ► T
7 désembuer ► T
7 désemparer ► I, T
21 désemplir ► I, T, P
7 désenchanter ► T
7 désenclaver ► T, P
7 désencombrer ► T, P
7 désencrasser ► T
7 se désendetter ► P
7 désenfler ► I, T, P
9 désengager ► T, P
21 désengourdir ► T
7 désensabler ► T

7 désensibiliser ▸ T, P
13 désensorceler ▸ T
7 désentortiller ▸ T
7 désentraver ▸ T
7 désenvoûter / désenvouter ▸ T
21 désépaissir ▸ T
7 déséquilibrer ▸ T
7 déserter ▸ I, T, P
7 se désertifier ▸ P
11 désespérer ▸ I, T, P
7 déshabiller ▸ T, P
7 déshabituer ▸ T, P
7 désherber ▸ T
7 déshériter ▸ T
7 déshonorer ▸ T, P
7 déshumaniser ▸ T
7 déshydrater ▸ T, P
7 désigner ▸ T
7 désillusionner ▸ T
7 désincarner ▸ T
7 désincruster ▸ T
7 désinfecter ▸ T
7 désinformer ▸ T
11 désintégrer ▸ T, P
7 désintéresser ▸ T, P
7 désintoxiquer ▸ T, P
7 désirer ▸ T
7 se désister ▸ P
21 désobéir ▸ I, Ti
9 désobliger ▸ T
7 désodoriser ▸ T
7 désoler ▸ T, P
7 désolidariser ▸ T, P
7 désorganiser ▸ T, P
7 désorienter ▸ T
7 désosser ▸ T
11 désoxygéner ▸ T
7 desquamer ▸ I, T, P
7 dessabler ▸ T
21 dessaisir ▸ T, P
7 dessaler ▸ I, T, P
11 dessécher ▸ T, P
7 desserrer ▸ T, P
21 dessertir ▸ T
37 desservir ▸ T, P
7 dessiller ▸ T
7 dessiner ▸ T, P

7 dessoler ▸ T
7 dessouder ▸ T, P
7 dessoûler / dessouler ▸ I, T, P
7 déstabiliser ▸ T
7 destiner ▸ T, P
7 destituer ▸ T
7 déstocker ▸ I, T
7 déstructurer ▸ T, P
21 désunir ▸ T, P
7 désynchroniser ▸ T
7 détacher ▸ T, P
7 détailler ▸ T
7 détaler ▸ I
7 détartrer ▸ T
7 détecter ▸ T
13 dételer ▸ I, T
7 détériorer ▸ T, P
7 déterminer ▸ T, P
7 déterrer ▸ T
7 détester ▸ T, P
7 détoner ▸ I
7 détonner ▸ I
58 détordre ▸ T
7 détortiller ▸ T
7 détourer ▸ T
7 détourner ▸ T, P
7 détraquer ▸ T, P
7 détremper ▸ T, P
7 détromper ▸ T, P
7 détrôner ▸ T
7 détrousser ▸ T
88 détruire ▸ T, P
7 dévaler ▸ I, T
7 dévaliser ▸ T
7 dévaloriser ▸ T, P
7 dévaluer ▸ T, P
8 devancer ▸ T
7 dévaster ▸ T

7 développer ▸ T, P
25 devenir ▸ I, être
7 se dévergonder ▸ P
7 déverrouiller ▸ T
7 déverser ▸ T, P
28 dévêtir ▸ T, P
7 dévider ▸ T, P
17 dévier ▸ I, T
7 deviner ▸ T
9 dévisager ▸ T
7 deviser ▸ I
7 dévisser ▸ I, T
7 dévitaliser ▸ T
7 dévoiler ▸ T, P
45 devoir ▸ T, P
7 dévorer ▸ I, T, P
7 dévouer ▸ T, P
19 dévoyer ▸ T, P
7 diaboliser ▸ T
7 diagnostiquer ▸ T
7 dialoguer ▸ I, T
7 dialyser ▸ T
7 dicter ▸ T
7 diffamer ▸ T
17 différencier ▸ T, P
11 différer ▸ I, T
7 diffuser ▸ T, P
11 digérer ▸ I, T
7 digresser ▸ I
7 dilapider ▸ T
7 dilater ▸ T, P
7 diluer ▸ T, P
7 diminuer ▸ I, T, P
7 dîner / diner ▸ I
84 dire ▸ T, P
9 diriger ▸ T, P
7 discerner ▸ T
7 discipliner ▸ T
7 discontinuer ▸ I, D, inf. seulement
25 disconvenir ▸ I, Ti, être ou avoir
7 discorder ▸ I

T : transitif direct (p.p. variable)   Ti : transitif indirect (p.p. invariable)
I : intransitif (p.p. invariable)   P : construction pronominale
imp. : verbe impersonnel   D : verbe défectif
être : verbe conjugué avec l'auxiliaire être
être ou avoir : conjugué avec les deux auxiliaires

7 discounter ▸ T
35 discourir ▸ I
7 discréditer ▸ T, P
7 discriminer ▸ T
7 disculper ▸ T, P
7 discuter ▸ I, T, P
17 disgracier ▸ T
63 disjoindre ▸ T, P
7 disjoncter ▸ I, T
7 disloquer ▸ T, P
69 disparaître /
   disparaitre ▸ I, être
   ou avoir
7 dispatcher ▸ T
7 dispenser ▸ T, P
7 disperser ▸ T, P
7 disposer ▸ T, Ti, P
7 disputer ▸ T, Ti, P
17 disqualifier ▸ T, P
7 disséminer ▸ T, P
11 disséquer ▸ T
7 disserter ▸ I
7 dissimuler ▸ T, P
7 dissiper ▸ T, P
17 dissocier ▸ T, P
78 dissoudre ▸ T, D
78 se dissoudre ▸ P, D
7 dissuader ▸ T
8 distancer ▸ T
17 distancier ▸ T, P
58 distendre ▸ T, P
7 distiller ▸ I, T
7 distinguer ▸ I, T, P
58 distordre ▸ T, P
66 distraire ▸ I, T, D
66 se distraire ▸ P, D
7 distribuer ▸ T, P
7 divaguer ▸ I
9 diverger ▸ I
17 diversifier ▸ T, P
21 divertir ▸ T, P
7 diviniser ▸ T
7 diviser ▸ T, P
8 divorcer ▸ I
7 divulguer ▸ T
7 documenter ▸ T, P
7 dogmatiser ▸ I
7 domestiquer ▸ T

17 domicilier ▸ T
7 dominer ▸ I, T, P
7 dompter ▸ T
7 donner ▸ I, T, P
7 doper ▸ T, P
7 dorer ▸ T, P
7 dorloter ▸ T, P
34 dormir ▸ I
7 doser ▸ T
7 doter ▸ T
7 doubler ▸ I, T, P
7 doublonner ▸ I
7 doucher ▸ T, P
21 doucir ▸ T
7 douer ▸ T, D
7 douter ▸ I, Ti, P
17 dragéifier ▸ T
7 draguer ▸ I, T
7 drainer ▸ T
7 dramatiser ▸ I, T
7 draper ▸ T, P
7 dresser ▸ T, P
7 dribbler ▸ I, T
7 driver ▸ I, T
7 droguer ▸ I, T, P
7 duper ▸ T, P
7 dupliquer ▸ T
21 durcir ▸ I, T, P
7 durer ▸ I
13 se duveter ▸ P
7 dynamiser ▸ T
7 dynamiter ▸ T

E

21 ébahir ▸ T, P
7 ébarber ▸ T
60 s'ébattre ▸ P
7 ébaucher ▸ T, P
21 éblouir ▸ I, T
7 éborgner ▸ T, P
7 ébouillanter ▸ T, P
7 ébouler ▸ I, T
7 ébouriffer ▸ T
7 ébrancher ▸ T
7 ébranler ▸ T, P
11 ébrécher ▸ T
7 s'ébrouer ▸ P
7 ébruiter ▸ T, P

7 écailler ▸ T, P
7 écarquiller ▸ T
13 écarteler ▸ T
7 écarter ▸ I, T, P
7 échafauder ▸ I, T
7 échancrer ▸ T
9 échanger ▸ T
9 s'échanger ▸ T
7 échantillonner ▸ T
7 échapper ▸ I, Ti, T, être
   ou avoir, P
7 écharper ▸ T, P
7 échauder ▸ T, P
7 échauffer ▸ T, P
7 échelonner ▸ T, P
13 écheveler ▸ T
7 échiner ▸ T, P
56 échoir ▸ I, D
7 échouer ▸ I, T, P
7 éclabousser ▸ T, P
21 éclaircir ▸ T, P
7 éclairer ▸ I, T, P
7 éclater ▸ I, T, P
7 éclipser ▸ T, P
76 éclore ▸ I, D, être ou
   avoir, mêmes formes que
   clore, mais seul. 3e pers.
7 écluser ▸ T
7 écœurer ▸ I, T
88 éconduire ▸ T
7 économiser ▸ I, T
7 écoper ▸ I, T
8 écorcer ▸ T
7 écorcher ▸ T
7 écorner ▸ T
7 écornifler ▸ T
7 écosser ▸ T
7 écouler ▸ T, P
7 écourter ▸ T
7 écouter ▸ I, T, P
7 écrabouiller ▸ T
7 écraser ▸ I, T, P
11 écrémer ▸ T
17 s'écrier ▸ P
86 écrire ▸ I, T, Ti, P
7 écrouer ▸ T, P
7 écumer ▸ I, T
7 édenter ▸ T

7 édicter ▸ T
17 édifier ▸ I, T
7 éditer ▸ T
7 édulcorer ▸ T
7 éduquer ▸ T
8 effacer ▸ I, T, P
7 effarer ▸ T, P
7 effaroucher ▸ T, P
7 effectuer ▸ T, P
7 efféminer ▸ T
7 effeuiller ▸ T, P
7 effiler ▸ T, P
7 effilocher ▸ T, P
7 effleurer ▸ T
7 effondrer ▸ T, P
8 s'efforcer ▸ P
9 effranger ▸ T, P
18 effrayer ▸ T, P
7 effriter ▸ T, P
7 égaler ▸ T
7 égaliser ▸ I, T
7 égarer ▸ T, P
18 égayer ▸ T, P
9 égorger ▸ T
7 s'égosiller ▸ P
7 égoutter ▸ I, T, P
7 égratigner ▸ T, P
10 égrener ▸ T, P
7 éjaculer ▸ T
7 éjecter ▸ T, P
7 élaborer ▸ T, P
7 élaguer ▸ T
8 élancer ▸ I, T, P
21 élargir ▸ I, T, P
17 électrifier ▸ T
7 électriser ▸ T
7 électrocuter ▸ T
10 élever ▸ T, P
7 élider ▸ T, P
7 élimer ▸ T
7 éliminer ▸ I, T, P
83 élire ▸ T
7 éloigner ▸ T, P
7 élucider ▸ T
7 élucubrer ▸ T
7 éluder ▸ T
17 émacier ▸ T, P
7 émailler ▸ T

7 émanciper ▸ T, P
7 émaner ▸ I
9 émarger ▸ I, T
7 émasculer ▸ T
7 emballer ▸ T, P
7 embarquer ▸ I, T, P
7 embarrasser ▸ T, P
7 embaucher ▸ I, T
7 embaumer ▸ I, T
21 embellir ▸ I, T
7 emberlificoter ▸ T, P
7 embêter ▸ T, P
7 embobiner ▸ T
7 emboîter / emboiter ▸ T, P
7 emboucher ▸ T
7 embourber ▸ T, P
7 embourgeoiser ▸ T, P
7 embouteiller ▸ T
7 embrancher ▸ T, P
7 embraser ▸ T, P
7 embrasser ▸ T, P
18 embrayer ▸ I, T
7 embrigader ▸ T, P
7 embringuer ▸ T, P
7 embrocher ▸ T
7 embrouiller ▸ T, P
7 embrumer ▸ T
7 embuer ▸ T, P
7 embusquer ▸ T, P
11 émécher ▸ T
9 émerger ▸ I
7 émerveiller ▸ T, P
61 émettre ▸ I, T
7 émietter ▸ T, P
7 émigrer ▸ I
8 émincer ▸ T
7 emmagasiner ▸ T
7 emmailloter ▸ T, P
7 emmancher ▸ T, P
7 emmêler ▸ T, P
9 emménager ▸ I, T
10 emmener ▸ T

7 emmitoufler ▸ T, P
7 émonder ▸ T
7 émotionner ▸ T
7 émousser ▸ T, P
7 émoustiller ▸ T
47 émouvoir ▸ I, T, P
7 empailler ▸ T
7 empaler ▸ T, P
7 empaqueter ▸ T
7 s'emparer ▸ P
7 empâter ▸ T, P
7 empêcher ▸ T, P
10 empeser ▸ T
7 empester ▸ I, T
7 empêtrer ▸ T, P
7 empierrer ▸ T
11 empiéter ▸ I
7 s'empiffrer ▸ P
7 empiler ▸ T, P
7 empirer ▸ I, T, seul. 3e pers.
7 emplafonner ▸ T, P
21 emplir ▸ I, T, P
19 employer ▸ T, P
7 empocher ▸ T
7 empoigner ▸ T, P
7 empoisonner ▸ T, P
7 emporter ▸ T, P
7 empoter ▸ T
11 empoussiérer ▸ T
7 s'empresser ▸ P
7 emprisonner ▸ T
7 emprunter ▸ I, T
21 empuantir ▸ T
7 émuler ▸ T
17 émulsifier ▸ T
7 émulsionner ▸ T
7 s'énamourer ▸ P
7 encadrer ▸ T, P
7 encaisser ▸ T
7 s'encanailler ▸ P
7 encapuchonner ▸ T, P
7 encarter ▸ T

T : transitif direct (p.p. variable)   Ti : transitif indirect (p.p. invariable)
I : intransitif (p.p. invariable)   P : construction pronominale
imp. : verbe impersonnel   D : verbe défectif
être : verbe conjugué avec l'auxiliaire être
être ou avoir : conjugué avec les deux auxiliaires

7 encaserner ► T
7 encastrer ► T, P
7 encaustiquer ► T
62 enceindre ► T
7 encenser ► I, T
7 encercler ► T
7 enchaîner / enchainer ► I, T, P
7 enchanter ► T
7 enchâsser ► T, P
7 enchevêtrer ► T, P
7 enclaver ► T, P
7 enclencher ► T, P
76 enclore ► T, D
7 enclouer ► T
7 encocher ► T
7 encoder ► T
7 encoller ► T
7 encombrer ► T, P
7 s'encorder ► P
9 encourager ► T
35 encourir ► T
7 encrasser ► T, P
7 encrer ► I, T
7 encroûter / encrouter ► T, P
7 endetter ► T, P
7 endeuiller ► T
7 endiabler ► I, T
7 endiguer ► T
7 s'endimancher ► P
7 endoctriner ► T
9 endommager ► T
34 endormir ► T, P
7 endosser ► T
88 enduire ► I, T
21 endurcir ► T, P
7 endurer ► T
7 énerver ► T, P
7 enfanter ► I, T
7 enfariner ► T
7 enfermer ► T, P
7 enferrer ► T, P
11 enfiévrer ► T, P
7 enfiler ► T, P
7 enflammer ► T, P
7 enfler ► I, T, P
8 enfoncer ► I, T, P

21 enfouir ► T, P
7 enfourcher ► T
7 enfourner ► T, P
62 enfreindre ► T
38 s'enfuir ► P
7 enfumer ► T
9 engager ► T, P
7 engendrer ► T
21 engloutir ► T, P
7 engluer ► T, P
8 engoncer ► T
9 engorger ► T, P
7 s'engouer ► P
7 engouffrer ► T, P
21 engourdir ► T, P
7 engraisser ► I, T, P
7 engranger ► T
7 engrosser ► T
7 engueuler ► T, P
7 enguirlander ► T
21 enhardir ► T, P
7 enivrer ► I, T, P
7 enjamber ► I, T
63 enjoindre ► T
7 enjôler ► T
7 enjoliver ► T, P
7 s'enkyster ► P
8 enlacer ► T, P
21 enlaidir ► I, T, P
10 enlever ► T, P
7 enliser ► T, P
7 enluminer ► T
21 ennoblir ► T
19 ennuyer ► I, T, P
8 énoncer ► T, P
21 enorgueillir ► T, P
26 s'enquérir ► P
7 enquêter ► T, P
7 enquiquiner ► T, P
7 enraciner ► T, P
9 enrager ► I
18 enrayer ► T, P
7 enrégimenter ► T
7 enregistrer ► T
7 enrhumer ► T, P
21 enrichir ► T, P
7 enrober ► T
7 enrôler ► T, P

7 enrouer ► T, P
7 enrouler ► T, P
7 enrubanner ► T
7 ensabler ► T, P
7 ensanglanter ► T
7 enseigner ► T, P
8 ensemencer ► T
7 enserrer ► T
21 ensevelir ► T, P
7 ensoleiller ► T
13 ensorceler ► T
81 s'ensuivre ► P, D, seul. inf., part. prés., et 3ᵉ pers. *(il s'est ensuivi ou il s'en est ensuivi ou il s'en est suivi)*
7 entacher ► T
7 entailler ► T
7 entamer ► T
7 entartrer ► T, P
7 entasser ► T, P
58 entendre ► I, T, Ti, P
7 entériner ► T
7 enterrer ► T, P
7 entêter ► T, P
7 enthousiasmer ► T, P
7 s'enticher ► P
7 entoiler ► T
7 entonner ► T
7 entortiller ► T, P
7 entourer ► T, P
7 s'entraccuser ► P
7 s'entradmirer ► P
7 s'entraider ► P
7 s'entraimer ► P
7 entraîner / entrainer ► T
41 entrapercevoir ► T
7 entraver ► T
7 entrebâiller ► T, P
7 entrechoquer ► T, P
7 entrecouper ► T, P
7 entrecroiser ► T, P
7 s'entre-déchirer ► P
7 s'entre-dévorer ► T
9 s'entre-égorger ► P
8 entrelacer ► T, P
7 entrelarder ► T

7 entremêler ▸ T, P
61 s'entremettre ▸ P
7 entreposer ▸ T
59 entreprendre ▸ I, T
7 entrer ▸ I, T, être
ou avoir
25 entretenir ▸ T, P
7 s'entre-tuer ▸ P
42 entrevoir ▸ T
29 entrouvrir ▸ T, P
11 énumérer ▸ T
21 envahir ▸ T
7 envaser ▸ T, P
7 envelopper ▸ T, P
7 envenimer ▸ T, P
7 envier ▸ T
7 environner ▸ T, P
9 envisager ▸ T
7 s'envoler ▸ P
7 envoûter / envouter ▸ T
20 envoyer ▸ T, P
21 épaissir ▸ I, T
7 épancher ▸ T, P
58 épandre ▸ T, P
21 épanouir ▸ T, P
7 épargner ▸ I, T, P
7 éparpiller ▸ T, P
7 épater ▸ T
7 épauler ▸ I, T, P
13 épeler ▸ I , T
7 épépiner ▸ T
7 éperonner ▸ T
8 épicer ▸ T
17 épier ▸ I, T, P
7 épiler ▸ T, P
7 épiloguer ▸ T, Ti
7 épingler ▸ T
7 éplucher ▸ T
7 épointer ▸ T
9 éponger ▸ T, P
7 épouiller ▸ T, P
7 s'époumoner ▸ P
7 épouser ▸ I, T, P
13 épousseter ▸ T
7 époustoufler ▸ T
7 épouvanter ▸ T
59 s'éprendre ▸ P
7 éprouver ▸ T

7 épuiser ▸ T, P
7 épurer ▸ T, P
21 équarrir ▸ T
7 équeuter ▸ T
7 équilibrer ▸ T, P
7 équiper ▸ T, P
50 équivaloir ▸ Ti, P
7 éradiquer ▸ T
7 érafler ▸ T, P
7 érailler ▸ T, P
7 éreinter ▸ T, ,P
7 ergoter ▸ I
9 ériger ▸ T, P
7 éroder ▸ T, P
7 érotiser ▸ T
7 errer ▸ I
7 éructer ▸ I, T
7 esbroufer ▸ T
7 escalader ▸ T
7 escamoter ▸ T
7 s'esclaffer ▸ P
7 escompter ▸ T
7 escorter ▸ T
7 s'escrimer ▸ P
7 escroquer ▸ T
8 espacer ▸ T, P
11 espérer ▸ I, T
7 espionner ▸ T
7 esquinter ▸ T, P
7 esquisser ▸ T
7 esquiver ▸ T, P
7 essaimer ▸ I, T
18 essayer ▸ T, P
7 essorer ▸ T
7 essouffler ▸ T, P
19 essuyer ▸ T, P
7 estamper ▸ T
7 estampiller ▸ T
7 ester ▸ I, D, inf. seul.
7 esthétiser ▸ I, T
7 estimer ▸ T, P
7 estomaquer ▸ T
7 estomper ▸ T, P

17 estropier ▸ T, P
21 établir ▸ T, P
9 étager ▸ T, P
7 étaler ▸ I, T, P
7 étalonner ▸ T
7 étamer ▸ T
7 étancher ▸ T
7 étatiser ▸ T
18 étayer ▸ T, P
62 éteindre ▸ T, P
58 étendre ▸ T, P
7 éterniser ▸ T, P
7 éternuer ▸ I
7 étêter ▸ T
13 étinceler ▸ T
7 étioler ▸ T, P
13 étiqueter ▸ T
7 étirer ▸ T, P
7 étoffer ▸ T, P
7 étoiler ▸ T, P
7 étonner ▸ T, P
7 étouffer ▸ I, T, P
21 étourdir ▸ T, P
7 étrangler ▸ T, P
1 être ▸ I
62 étreindre ▸ T, P
7 étrenner ▸ I, T
7 étriller ▸ T
7 étriper ▸ T, P
7 étriquer ▸ T
17 étudier ▸ I, T, P
7 étuver ▸ T
7 euphoriser ▸ I, T
7 européaniser ▸ T, P
7 euthanasier ▸ T
7 évacuer ▸ T
7 s'évader ▸ P
7 évaluer ▸ T
7 évangéliser ▸ T
21 s'évanouir ▸ P
7 évaporer ▸ T, P
7 évaser ▸ T, P
7 éveiller ▸ T, P

T : transitif direct (p.p. variable)   Ti : transitif indirect (p.p. invariable)
I : intransitif (p.p. invariable)   P : construction pronominale
imp. : verbe impersonnel   D : verbe défectif
être : verbe conjugué avec l'auxiliaire être
être ou avoir : conjugué avec les deux auxiliaires

7 éventer ▸ T, P
7 éventrer ▸ T, P
7 s'évertuer ▸ P
7 évider ▸ T
8 évincer ▸ T
7 éviter ▸ T, Ti, P
7 évoluer ▸ I
7 évoquer ▸ T
7 exacerber ▸ T, P
11 exagérer ▸ I, T, P
7 exalter ▸ T
7 examiner ▸ I, T, P
11 exaspérer ▸ T, P
8 exaucer ▸ T
11 excéder ▸ T
7 exceller ▸ I
7 excentrer ▸ T
7 excepter ▸ T
7 exciser ▸ T
7 exciter ▸ T, P
7 s'exclamer ▸ P
77 exclure ▸ T, P
17 excommunier ▸ T
7 excuser ▸ T, P
11 exécrer ▸ T
7 exécuter ▸ T, P
7 exempter ▸ T, P
8 exercer ▸ I, T, P
17 exfolier ▸ T, P
7 exhaler ▸ T, P
7 exhausser ▸ T
7 exhiber ▸ T, P
7 exhorter ▸ T
7 exhumer ▸ T
9 exiger ▸ T
7 exiler ▸ T, P
7 exister ▸ I
11 exonérer ▸ T
7 exorciser ▸ T
17 expatrier ▸ T, P
7 expectorer ▸ I, T
17 expédier ▸ T
7 expérimenter ▸ I, T
7 expertiser ▸ T
17 expier ▸ T
7 expirer ▸ I, T
7 expliciter ▸ T
7 expliquer ▸ T

7 exploiter ▸ I, T
7 explorer ▸ T
7 exploser ▸ I
7 exporter ▸ I, T
7 exposer ▸ T, P
7 exprimer ▸ T, P
17 exproprier ▸ T
7 expulser ▸ T
9 expurger ▸ T
7 exsuder ▸ I, T
17 s'extasier ▸ P
7 exténuer ▸ T, P
7 extérioriser ▸ T, P
7 exterminer ▸ T
7 extirper ▸ T, P
7 extorquer ▸ T
7 extrader ▸ T
66 extraire ▸ T, D, P
7 extrapoler ▸ I, T
7 exulter ▸ I

F

7 fabriquer ▸ I, T, P
7 fabuler ▸ I
7 fâcher ▸ T, P
7 faciliter ▸ T, P
7 façonner ▸ T
7 facturer ▸ T
7 fagoter ▸ T
21 faiblir ▸ I
32 faillir ▸ I, D, futur et
    cond. comme *finir* ;
    surtout au passé simple,
    inf., et passé comp.
67 faire ▸ I, T, P
7 faisander ▸ T, P
49 falloir ▸ T, imp. : *il faut*
49 s'en falloir ▸ P, imp. :
    il s'en faut ou *il s'en est*
    fallu
17 falsifier ▸ T
7 familiariser ▸ T, P
7 fanatiser ▸ T
7 faner ▸ T, P
7 fanfaronner ▸ I
7 fantasmer ▸ I, T
21 farcir ▸ T, P
7 farder ▸ I, T, P

7 farfouiller ▸ I, T
7 fariner ▸ I, T
7 farter ▸ T
7 fasciner ▸ T
7 fasciser ▸ T
7 fatiguer ▸ I, T, P
7 faucher ▸ I, T
7 faufiler ▸ I, T, P
7 fausser ▸ T, P
7 fauter ▸ I
7 favoriser ▸ T
7 faxer ▸ T
7 fayoter ▸ I
7 féconder ▸ T
7 fédéraliser ▸ T
11 fédérer ▸ T, P
62 feindre ▸ I, T
7 feinter ▸ I, T
7 fêler ▸ T, P
7 féliciter ▸ T, P
7 féminiser ▸ T, P
7 fendiller ▸ T, P
58 fendre ▸ T, P
férir ▸ T, D, seul. dans les
    expressions *sans coup*
    férir et *féru de*
7 fermenter ▸ I
7 fermer ▸ I, T, P
7 ferrailler ▸ I
7 ferrer ▸ T
7 fertiliser ▸ T
7 fesser ▸ T
7 festonner ▸ T
19 festoyer ▸ I, T
7 fêter ▸ T
7 fétichiser ▸ T
7 feuiller ▸ I, T
13 feuilleter ▸ T
7 feuler ▸ I
7 feutrer ▸ I, T, P
7 fiabiliser ▸ T
8 fiancer ▸ T, P
13 ficeler ▸ T
7 ficher ▸ T, P
7 fidéliser ▸ T
7 se fier ▸ P
9 figer ▸ I, T, P
7 fignoler ▸ T

7 figurer ► I, T, P
7 filer ► I, T
13 fileter ► T
7 filigraner ► T
7 filmer ► I, T
7 filocher ► I, T
7 filouter ► I, T
7 filtrer ► I, T
7 finaliser ► T
8 financer ► I, T
21 finir ► I, T
7 fiscaliser ► T
7 fissurer ► T, P
7 fixer ► T, P
7 flageller ► T, P
7 flageoler ► I
7 flairer ► T
7 flamber ► I, T
19 flamboyer ► I
7 flancher ► I, T
7 flâner ► I
7 flanquer ► T, P
7 flasher ► I, T
7 flatter ► T, P
11 flécher ► T
21 fléchir ► I, T
7 flemmarder ► I
21 flétrir ► T, P
7 fleurer ► I, T
21 fleurir ► I, T
7 flexibiliser ► T
7 flinguer ► I, T, P
7 flipper ► I
7 fliquer ► T
7 flirter ► I
7 floconner ► I
7 flotter ► I, T
7 flotter ► imp. : il flotte
7 flouer ► T
7 fluctuer ► I
17 fluidifier ► T
7 flûter ► I, T
7 focaliser ► T, P
7 foirer ► I
7 foisonner ► I
7 folâtrer ► I
7 folioter ► T
7 fomenter ► T

8 foncer ► I, T
7 fonctionnariser ► T
7 fonctionner ► I
7 fonder ► T, P
58 fondre ► I, T, P
8 forcer ► I, T, P
21 forcir ► I
7 forer ► T
9 forger ► I, T, P
7 formaliser ► T, P
7 formater ► T
7 former ► T, P
7 formuler ► T, P
7 forniquer ► I
17 fortifier ► T, P
7 fossiliser ► T, P
19 foudroyer ► T
7 fouetter ► I, T
7 fouiller ► I, T, P
7 fouiner ► I
7 fouler ► T, P
7 fourcher ► I, T
7 fourguer ► T
7 fourmiller ► I
21 fournir ► T, Ti, P
9 fourrager ► I, T
7 fourrer ► T
19 fourvoyer ► T, P
7 fracasser ► T, P
7 fractionner ► T, P
7 fracturer ► T, P
7 fragiliser ► T
7 fragmenter ► T, P
21 fraîchir / fraichir ► I
7 fraiser ► T
7 framboiser ► T
21 franchir ► T
7 franchiser ► T
7 franciser ► T
9 franger ► T
7 frapper ► I, T, P
7 fraterniser ► I
7 frauder ► I, T

18 frayer ► I, T, P
7 fredonner ► I, T
7 freiner ► I, T, P
7 frelater ► T
21 frémir ► I
7 fréquenter ► I, T, P
7 frétiller ► I
7 fricasser ► T
7 fricoter ► I, T
7 frictionner ► T, P
17 frigorifier ► T
7 frimer ► I, T
7 fringuer ► I, T, P
7 friper ► T, P
87 frire ► I, T, D
7 friser ► I, T
7 frisotter ► I, T
7 frissonner ► I
7 froisser ► T, P
7 frôler ► T
8 froncer ► T, P
7 fronder ► I, T
7 frotter ► I, T, P
7 froufrouter ► I
17 fructifier ► I
7 fruster ► T
7 fuguer ► I
38 fuir ► I, T, P
7 fulminer ► I, T
7 fumer ► I, T
13 fureter ► I
13 fuseler ► T
7 fuser ► I
7 fusiller ► T
7 fusionner ► I, T
9 fustiger ► T

G

7 gâcher ► I, T
7 gaffer ► I, T
9 gager ► T
7 gagner ► I, T, P
7 gainer ► T

T : transitif direct (p.p. variable) Ti : transitif indirect (p.p. invariable)
I : intransitif (p.p. invariable) P : construction pronominale
imp. : verbe impersonnel D : verbe défectif
être : verbe conjugué avec l'auxiliaire être
être ou avoir : conjugué avec les deux auxiliaires

7 galber ▸ T
7 galérer ▸ I
7 galonner ▸ T
7 galoper ▸ I
7 galvaniser ▸ T
7 galvauder ▸ I, T, P
7 gambader ▸ I
9 gamberger ▸ I, T
10 gangrener ▸ T, P
11 gangréner ▸ T
7 ganser ▸ T
7 ganter ▸ T, P
21 garantir ▸ T
7 garder ▸ T, P
7 garer ▸ T, P
7 se gargariser ▸ P
21 garnir ▸ T, P
7 garrotter ▸ T
7 gaspiller ▸ T
7 gâter ▸ T, P
21 gauchir ▸ I, T
7 gauler ▸ T
7 se gausser ▸ P
7 gaver ▸ T, P
17 gazéifier ▸ T
7 gazer ▸ I, T
7 gazouiller ▸ I
62 geindre ▸ I
13 geler ▸ I, T, P
17 se gélifier ▸ P
21 gémir ▸ I, T
7 se gendarmer ▸ P
7 gêner ▸ T, P
7 généraliser ▸ T, P
7 générer ▸ T
7 gerber ▸ I, T
8 gercer ▸ I, T, P
11 gérer ▸ T
7 germer ▸ I
40 gésir ▸ I, D,
seul. part. prés.
et imparf. ind.
7 gesticuler ▸ I
7 gicler ▸ I
7 gifler ▸ T
7 gigoter ▸ I
7 gîter / giter ▸ I
7 givrer ▸ T, P

8 glacer ▸ I, T, imp. :
il glace, P
7 glaiser ▸ T
7 glander ▸ I
7 glaner ▸ I, T
21 glapir ▸ I, T
7 glisser ▸ I, T, P
7 globaliser ▸ T
17 glorifier ▸ T, P
7 gloser ▸ I, T, Ti
7 glousser ▸ I
7 glycériner ▸ T
7 gober ▸ T
9 se goberger ▸ P
7 godiller ▸ I
7 se goinfrer ▸ P
7 se gominer ▸ P
7 gommer ▸ T
7 gondoler ▸ I, P
7 gonfler ▸ I, T, P
9 gorger ▸ T, P
7 gouacher ▸ T
7 goudronner ▸ T
7 goupiller ▸ T, P
7 se gourer ▸ P
7 gourmander ▸ T
7 goûter / gouter ▸ I, T, Ti
7 goutter ▸ I
7 gouverner ▸ I, T
17 gracier ▸ T
7 graduer ▸ T
7 graffiter ▸ I, T
7 grailler ▸ I, T
7 grainer ▸ T
7 graisser ▸ T
21 grandir ▸ I, T, P
7 granuler ▸ T
7 grappiller ▸ I, T
18 grasseyer ▸ I, T
17 gratifier ▸ T
7 gratiner ▸ I, T
7 grat(t)ouiller ▸ T
7 gratter ▸ I, T, P
7 graver ▸ I, T
21 gravir ▸ T, Ti
7 graviter ▸ I
16 gréer ▸ T
7 greffer ▸ T, P

7 grêler ▸ T, imp. : il grêle
7 grelotter ▸ I
7 grésiller ▸ I, imp. :
il grésille
10 grever ▸ T
7 gribouiller ▸ I, T
7 griffer ▸ I, T
7 griffonner ▸ I, T
7 grigner ▸ I
7 grignoter ▸ I, T
9 grillager ▸ T
7 griller ▸ I, T
8 grimacer ▸ I
7 grimer ▸ T, P
7 grimper ▸ I, T
8 grincer ▸ I
7 gripper ▸ I, T, P
7 grisailler ▸ I, T
7 griser ▸ T, P
7 grisonner ▸ I
7 grognasser ▸ I, T
7 grogner ▸ T, I
13 grommeler ▸ T
7 gronder ▸ I, T
21 grossir ▸ I, T
7 grouiller ▸ I, P
7 grouper ▸ I, T, P
9 gruger ▸ T
13 se grumeler ▸ P
21 guérir ▸ I, T, P
19 guerroyer ▸ I, T
7 guetter ▸ I, T, P
7 gueuler ▸ I, T
7 gueuletonner ▸ I
7 guider ▸ T, P
7 guigner ▸ T
7 guillotiner ▸ T
7 guincher ▸ I
7 guinder ▸ T, P

H

7 habiliter ▸ T
7 habiller ▸ T, P
7 habiter ▸ I, T
7 habituer ▸ T
7 hacher ▸ T
7 hachurer ▸ T
22 *haïr ▸ I, T, P

7 *haler ▸ T
7 *hâler ▸ T, P
13 *haleter ▸ I
7 halluciner ▸ T
11 hancher ▸ I, T
7 handicaper ▸ T
7 hanter ▸ T
7 happer ▸ I, T
7 *haranguer ▸ T
7 *harasser ▸ T
13 *harceler ▸ T
7 harmoniser ▸ T, P
7 harnacher ▸ T, P
7 harponner ▸ T
7 hasarder ▸ T, P
7 *hâter ▸ T, P
7 *hausser ▸ T, P
9 héberger ▸ T
11 hébéter ▸ T
11 héler ▸ T, P
7 helléniser ▸ I, T
21 hennir ▸ I
7 herboriser ▸ I
7 *hérisser ▸ T, P
7 hériter ▸ I, Ti
7 hésiter ▸ I
7 heurter ▸ I, T, P
7 hiberner ▸ I, T
7 hiérarchiser ▸ T
7 hisser ▸ T, P
7 hiverner ▸ I, T
7 *hocher ▸ T
17 homogénéifier ▸ T
7 homogénéiser ▸ T
7 homologuer ▸ T
21 *honnir ▸ T
7 honorer ▸ T, P
13 hoqueter ▸ I
17 horrifier ▸ T
7 horripiler ▸ T
7 hospitaliser ▸ T
7 houspiller ▸ T
7 huer ▸ I, T
7 huiler ▸ T
7 hululer ▸ I
7 humaniser ▸ T, P
7 humecter ▸ T, P
7 humer ▸ T

17 humidifier ▸ T
17 humilier ▸ T, P
7 *hurler ▸ I, T
7 hydrater ▸ T, P
17 hypertrophier ▸ T, P
7 hypnotiser ▸ T, P
11 hypothéquer ▸ T

I

7 idéaliser ▸ T
17 identifier ▸ T, P
7 idolâtrer ▸ T, P
9 ignifuger ▸ T
7 ignorer ▸ T, P
7 illuminer ▸ T, P
7 illusionner ▸ T, P
7 illustrer ▸ T, P
7 imaginer ▸ T, P
7 imbiber ▸ T, P
7 imbriquer ▸ T, P
7 imiter ▸ T
7 immatriculer ▸ T
9 immerger ▸ T, P
7 immigrer ▸ I
8 s'immiscer ▸ P
7 immobiliser ▸ T, P
7 immoler ▸ T, P
7 immortaliser ▸ T, P
7 immuniser ▸ T, P
21 impartir ▸ T, D, seul.
  ind. prés., p.p. et pas.
  comp.
7 impatienter ▸ T, P
7 imperméabiliser ▸ T
7 implanter ▸ T, P
7 impliquer ▸ T, P
7 implorer ▸ T
7 imploser ▸ I
7 importer ▸ I, T, Ti
7 importuner ▸ T
7 imposer ▸ T, P
11 imprégner ▸ T, P
7 impressionner ▸ T

7 imprimer ▸ T
7 improviser ▸ I, T, P
7 impulser ▸ T
7 imputer ▸ T
7 inactiver ▸ T
7 inaugurer ▸ T
11 incarcérer ▸ T
7 incarner ▸ T, P
17 incendier ▸ T
11 incinérer ▸ T
7 inciser ▸ T
7 inciter ▸ T
7 incliner ▸ I, T, P
77 inclure ▸ T
7 incomber ▸ Ti, seul.
  3e pers.
7 incommoder ▸ T
7 incorporer ▸ T, P
7 incriminer ▸ T
7 incruster ▸ T, P
7 inculper ▸ T
7 inculquer ▸ T
7 incurver ▸ T, P
7 indemniser ▸ T
7 indexer ▸ T
11 indifférer ▸ T
7 indigner ▸ T, P
7 indiquer ▸ T
7 indisposer ▸ T
7 individualiser ▸ T, P
88 induire ▸ T
7 industrialiser ▸ T, P
7 infantiliser ▸ T
7 infecter ▸ T, P
7 inféoder ▸ T, P
11 inférer ▸ T
7 inférioriser ▸ T
7 infester ▸ T
7 infiltrer ▸ T, P
7 infirmer ▸ T
21 infléchir ▸ T, P
9 infliger ▸ T, Ti
8 influencer ▸ T

T : transitif direct (p.p. variable)   Ti : transitif indirect (p.p. invariable)
I : intransitif (p.p. invariable)   P : construction pronominale
imp. : verbe impersonnel   D : verbe défectif
être : verbe conjugué avec l'auxiliaire être
être ou avoir : conjugué avec les deux auxiliaires
*h : h aspiré

7 influer ▸ I
7 informatiser ▸ T, P
7 informer ▸ I, T, P
7 infuser ▸ I, T
17 s'ingénier ▸ P
11 ingérer ▸ T, P
7 ingurgiter ▸ T
7 inhaler ▸ T
7 inhiber ▸ T
7 inhumer ▸ T
7 initialiser ▸ T
17 initier ▸ T, P
7 injecter ▸ T, P
17 injurier ▸ T, P
7 innerver ▸ T
7 innocenter ▸ T
7 innover ▸ I, T
7 inoculer ▸ T, P
7 inonder ▸ T, P
11 inquiéter ▸ T, P
86 inscrire ▸ T, P
7 inséminer ▸ T
7 insensibiliser ▸ T
11 insérer ▸ T, P
7 insinuer ▸ T, P
7 insister ▸ I
7 insonoriser ▸ T
7 inspecter ▸ T
7 inspirer ▸ I, T, P
7 installer ▸ T, P
7 instaurer ▸ T, P
7 instiller ▸ T
7 instituer ▸ T, P
7 institutionnaliser ▸ T, P
88 instruire ▸ T, P
7 insuffler ▸ T
7 insulter ▸ I, T, Ti, P
7 insupporter ▸ T, seul. avec un pronom, p. ex., *Paul m'insupporte*
9 s'insurger ▸ P
11 intégrer ▸ I, T, Ti, P
7 intellectualiser ▸ T
17 intensifier ▸ T, P
7 intenter ▸ T
21 interagir ▸ I

7 intercaler ▸ T, P
11 intercéder ▸ I
7 intercepter ▸ T
7 interclasser ▸ T
84 interdire ▸ T, P
7 intéresser ▸ T, P
11 interférer ▸ I
7 intérioriser ▸ T
7 interligner ▸ T
7 internationaliser ▸ T
7 interner ▸ T
14 interpeller / interpeler ▸ T, P
7 interpoler ▸ T
7 interposer ▸ T, P
11 interpréter ▸ T, P
9 interroger ▸ T, P
57 interrompre ▸ T, P
25 intervenir ▸ I, être
21 intervertir ▸ T
7 interviewer ▸ T
7 intimer ▸ T
7 intimider ▸ T
7 intituler ▸ T, P
7 intoxiquer ▸ T, P
7 intriguer ▸ I, T
88 introduire ▸ T, P
7 introniser ▸ T
7 invalider ▸ T
7 invectiver ▸ I, T
7 inventer ▸ I, T, P
17 inventorier ▸ T
7 inverser ▸ T
21 investir ▸ I, T, P
7 inviter ▸ T, P
7 invoquer ▸ T
7 iriser ▸ T, P
7 ironiser ▸ I
17 irradier ▸ I, T
7 irriguer ▸ T
7 irriter ▸ T, P
7 isoler ▸ T, P

J K

7 jacasser ▸ I
7 jacter ▸ I, T
21 jaillir ▸ I
7 jalonner ▸ I, T

7 jalouser ▸ T, P
7 japper ▸ I
7 jardiner ▸ I, T
7 jargonner ▸ I
7 jaser ▸ I
9 jauger ▸ I, I, T
21 jaunir ▸ I, T
7 javelliser ▸ T
15 jeter ▸ T, P
7 jeûner / jeuner ▸ I
   accent circ. oblig.
   dans : *je/il jeûne,*
   tu jeûnes, jeûne
7 jogger ▸ I
63 joindre ▸ I, T, P
7 joncher ▸ T
7 jongler ▸ I
7 jouer ▸ I, T, P
21 jouir ▸ I, Ti
7 jouxter ▸ T
7 jubiler ▸ I
7 jucher ▸ I, T, P
9 juger ▸ I, T, Ti
7 juguler ▸ T
7 jumeler ▸ T
7 jurer ▸ I, T, P
17 justifier ▸ T, Ti, P
7 juxtaposer ▸ T
7 kidnapper ▸ T
11 kilométrer ▸ T
7 klaxonner ▸ I, T

L

7 labelliser ▸ T
7 labourer ▸ I, T, P
8 lacer ▸ T, P
11 lacérer ▸ T
7 lâcher ▸ I, T
7 laïciser ▸ T, P
7 laisser ▸ T, P
7 lambiner ▸ I
7 lambrisser ▸ T
7 lamenter ▸ I, T, P
7 lamer ▸ T
7 laminer ▸ T
8 lancer ▸ T, P
7 lanciner ▸ I, T
9 langer ▸ T

21 languir ▸ I, P	**7** lorgner ▸ T	**9** manger ▸ T, P
7 lanterner ▸ I, T	**21** lotir ▸ T	**17** manier ▸ T, P
7 laper ▸ I, T	**9** louanger ▸ T	**7** manifester ▸ I, T, P
7 lapider ▸ T	**7** loucher ▸ I	**8** manigancer ▸ T, P
7 laquer ▸ T	**7** louer ▸ T, P	**7** manipuler ▸ T
7 larder ▸ T	**7** louper ▸ I, T, P	**7** manœuvrer ▸ I, T
7 larguer ▸ T	**7** lourder ▸ T	**7** manquer ▸ I, T, Ti, P
19 larmoyer ▸ I	**19** louvoyer ▸ I	**7** manucurer ▸ T
7 lasser ▸ I, T, P	**7** lover ▸ T, P	**7** manufacturer ▸ T
7 laver ▸ T, P	**17** lubrifier ▸ T	**7** manutentionner ▸ T
11 lécher ▸ T, P	**88** luire ▸ I	**7** maquer ▸ T, P
7 légaliser ▸ T	**7** lustrer ▸ T	**7** maquetter ▸ T
7 légender ▸ T	**7** lutiner ▸ T	**7** maquiller ▸ T, P
11 légiférer ▸ I	**7** lutter ▸ I	**7** marauder ▸ I, T
7 légitimer ▸ T	**7** luxer ▸ T, P	**7** marbrer ▸ T
11 léguer ▸ T, P	**7** lyncher ▸ T	**7** marchander ▸ I, T
17 lénifier ▸ T	**7** lyophiliser ▸ T	**7** marcher ▸ I
11 léser ▸ T		**7** marcotter ▸ T
7 lésiner ▸ I	**M**	**9** marger ▸ I, T
7 lessiver ▸ T		**7** marginaliser ▸ T, P
7 lester ▸ T, P	**11** macérer ▸ I, T	**7** marginer ▸ T
7 leurrer ▸ T, P	**7** mâcher ▸ T	**17** marier ▸ T, P
10 lever ▸ I, T, P	**7** machiner ▸ T	**7** mariner ▸ I, T
7 léviter ▸ I	**7** mâchonner ▸ T	**7** marivauder ▸ I
7 lézarder ▸ I, T	**7** mâchouiller ▸ T	**7** marmonner ▸ T
7 libeller ▸ T	**7** maçonner ▸ T	**7** marner ▸ I, T
7 libéraliser ▸ T	**7** maculer ▸ T	**7** marquer ▸ I, T
11 libérer ▸ T, P	**7** magasiner ▸ I, T	**7** se marrer ▸ P
17 licencier ▸ T	**7** se magner ▸ P	**13** marteler ▸ T
17 lier ▸ T, P	**7** magnétiser ▸ T	**7** martyriser ▸ T
7 lifter ▸ T	**17** magnifier ▸ T	**7** masquer ▸ I, T, P
7 ligaturer ▸ T	**7** magouiller ▸ I, T	**7** massacrer ▸ T, P
7 ligner ▸ T	**21** maigrir ▸ I, T	**7** masser ▸ T, P
7 ligoter ▸ T	**25** maintenir ▸ T, P	**17** massifier ▸ T
7 liguer ▸ T, P	**7** maîtriser / maitriser	**7** mastiquer ▸ I, T
7 limer ▸ I, T, P	▸ T, P	**7** masturber ▸ T, P
7 limiter ▸ T, P	**7** majorer ▸ T	**7** matelasser ▸ T
9 limoger ▸ T	**7** malaxer ▸ T	**7** mater ▸ I, T
17 liquéfier ▸ T, P	**10** malmener ▸ T	**7** mâter ▸ T
7 liquider ▸ T	**7** maltraiter ▸ T	**7** matérialiser ▸ T, P
83 lire ▸ I, T	**7** mamelonner ▸ T	**7** materner ▸ T
7 lisser ▸ T	**9** manager ▸ T	**7** mathématiser ▸ T
7 lister ▸ T	**7** mandater ▸ T	**7** matraquer ▸ T
17 lithographier ▸ T	**7** mander ▸ T	
7 livrer ▸ T, P		
7 localiser ▸ T		
9 loger ▸ I, T, P		
7 longer ▸ T		

T : transitif direct (p.p. variable)   Ti : transitif indirect (p.p. invariable)
I : intransitif (p.p. invariable)   P : construction pronominale
imp. : verbe impersonnel   D : verbe défectif
être : verbe conjugué avec l'auxiliaire être
être ou avoir : conjugué avec les deux auxiliaires

21 maudire ▸ T, p.p.
  maudit, maudite
16 maugréer ▸ I, T
7 maximaliser ▸ T
7 maximiser ▸ T
7 mécaniser ▸ T
11 mécher ▸ T
69 méconnaître /
  méconnaitre ▸ T
7 mécontenter ▸ T
7 médailler ▸ T
7 médiatiser ▸ T
7 médicaliser ▸ T
84 médire ▸ Ti, seul.
  2ᵉ pers. pl. ind. prés. et
  impératif : *vous médisez*
7 méditer ▸ I, T
7 méduser ▸ T
5 se méfier ▸ P
7 mégoter ▸ I, T
9 méjuger ▸ T, Ti, P
9 mélanger ▸ T, P
7 mêler ▸ T, P
7 mémoriser ▸ I, T
8 menacer ▸ I, T
9 ménager ▸ T, P
17 mendier ▸ I, T
10 mener ▸ I, T
7 menotter ▸ T
7 mensualiser ▸ T
7 mentionner ▸ T
27 mentir ▸ I, Ti, P
7 menuiser ▸ T
59 se méprendre ▸ P
7 mépriser ▸ T, P
7 meringuer ▸ T
7 mériter ▸ T, Ti
17 se mésallier ▸ P
7 mésestimer ▸ T
7 mesurer ▸ I, T, P
7 métaboliser ▸ T
7 métalliser ▸ T
7 métamorphoser ▸ T, P
7 métaphoriser ▸ T
7 métisser ▸ T
61 mettre ▸ T, P
7 meubler ▸ T, P
7 meugler ▸ I

21 meurtrir ▸ T
7 miauler ▸ I
7 microfilmer ▸ T
7 migrer ▸ I
7 mijoter ▸ I, T, P
7 militariser ▸ T
7 militer ▸ I
7 mimer ▸ T
7 minauder ▸ I
21 mincir ▸ I
7 miner ▸ T
7 minéraliser ▸ T
7 miniaturiser ▸ T
7 minimiser ▸ T
7 minorer ▸ T
7 minuter ▸ T
7 mirer ▸ T, P
7 miroiter ▸ I
7 miser ▸ I, T
7 se miter ▸ P
9 mitiger ▸ T
7 mitonner ▸ I, T, P
7 mitrailler ▸ I, T
7 mixer ▸ T
7 mobiliser ▸ T, P
13 modeler ▸ T, P
7 modéliser ▸ T
11 modérer ▸ T, P
7 moderniser ▸ T, P
17 modifier ▸ T, P
7 moduler ▸ I, T
7 moirer ▸ T
21 moisir ▸ I
7 moissonner ▸ T
7 molester ▸ T
21 mollir ▸ I, T
17 momifier ▸ T, P
7 mondialiser ▸ T, P
7 monétiser ▸ T
18 monnayer ▸ T
7 monologuer ▸ I
7 monopoliser ▸ T
7 monter ▸ I, T, être ou
  avoir, P
7 montrer ▸ T, P
7 moquer ▸ T, P
7 moquetter ▸ T
7 moraliser ▸ I, T

13 morceler ▸ T
7 mordiller ▸ I, T
58 mordre ▸ I, T, Ti, P
7 morfler ▸ T
58 se morfondre ▸ P
17 mortifier ▸ T, P
7 motiver ▸ T
7 motoriser ▸ T
7 moucharder ▸ I, T
7 moucher ▸ I, T, P
13 moucheter ▸ T
80 moudre ▸ T
13 moufeter ▸ I, D,
  seul. inf. et passé comp.
7 moufter ▸ I, D,
  seul. inf. imparf.
  et passé comp.
7 mouiller ▸ I, T, P
7 mouler ▸ I, T
7 mouliner ▸ I, T
7 moulurer ▸ T
36 mourir ▸ I, être
36 se mourir ▸ P, D,
  seul. prés., imparf.
  et part. prés.
  (se mourant)
7 mousser ▸ I
7 moutonner ▸ I
7 mouvementer ▸ T
47 mouvoir ▸ T, P
7 muer ▸ I, T, P
21 mugir ▸ I
17 multiplier ▸ I, T, P
21 munir ▸ T, P
7 murer ▸ T, P
21 mûrir / murir ▸ I, T
7 murmurer ▸ I, T
7 musarder ▸ I
7 muscler ▸ T
13 museler ▸ T
7 muser ▸ I
7 musiquer ▸ I, T
7 muter ▸ I, T
7 mutiler ▸ T, P
7 se mutiner ▸ P
7 mutualiser ▸ T
17 mystifier ▸ T
17 mythifier ▸ I, T

N

7 nacrer ▸ T, P
9 nager ▸ I, T
70 naître / naitre ▸ I, être
21 nantir ▸ T, P
7 napper ▸ T
7 narguer ▸ T
7 narrer ▸ T
7 nasaliser ▸ T, P
7 nasiller ▸ I, T
7 nationaliser ▸ T
7 natter ▸ T
7 naturaliser ▸ T
7 naviguer ▸ I
7 navrer ▸ T
7 nécessiter ▸ T
9 négliger ▸ T, P
17 négocier ▸ I, T, P
9 neiger ▸ imp. : *il neige*
7 nervurer ▸ T
19 nettoyer ▸ T
7 neutraliser ▸ T, P
7 nicher ▸ I, T, P
17 nidifier ▸ I
17 nier ▸ I, T
7 nimber ▸ T, P
7 nipper ▸ T, P
13 niveler ▸ T
8 nocer ▸ I
21 noircir ▸ T, I, P
7 nomadiser ▸ I
7 nombrer ▸ T
7 nominaliser ▸ T
7 nommer ▸ T, P
7 normaliser ▸ T
7 noter ▸ T
17 notifier ▸ T
7 nouer ▸ I, T, P
21 nourrir ▸ I, T, P
7 noyauter ▸ T
19 noyer ▸ T, P
8 nuancer ▸ T
88 nuire ▸ Ti
88 se nuire
  ▸ P. p.p. invariable
7 numériser ▸ T
7 numéroter ▸ T, P

O

21 obéir ▸ Ti, à la voix passive
11 obérer ▸ T
7 objecter ▸ T
7 objectiver ▸ T, P
9 obliger ▸ T, P
7 obliquer ▸ I
11 oblitérer ▸ T
7 obnubiler ▸ T
21 obscurcir ▸ T, P
11 obséder ▸ T
7 observer ▸ T, P
7 s'obstiner ▸ P
7 obstruer ▸ T, P
11 obtempérer ▸ I, Ti
25 obtenir ▸ T, P
7 obturer ▸ T
7 occasionner ▸ T
7 occidentaliser ▸ T, P
occire ▸ D, seul. inf., passé comp. et p.p. *(occis, occise)*
7 occulter ▸ T
7 occuper ▸ T, P
19 octroyer ▸ T, P
7 œuvrer ▸ I
7 offenser ▸ T, P
7 officialiser ▸ T
17 officier ▸ I
29 offrir ▸ T, P
7 offusquer ▸ T, P
63 oindre ▸ T, D, P, surtout inf. et p.p. *(oint, ointe, oints, ointes)*, et aussi imparfait *(ils oignaient)*
9 ombrager ▸ T
7 ombrer ▸ T
61 omettre ▸ T
19 ondoyer ▸ I, T
7 onduler ▸ I, T

17 opacifier ▸ P, T
7 opaliser ▸ T
11 opérer ▸ I, T, P
7 opiner ▸ I
7 s'opiniâtrer ▸ P
7 opposer ▸ T, P
7 oppresser ▸ T
7 opprimer ▸ T
7 opter ▸ I
7 optimaliser ▸ T
7 optimiser ▸ T
7 oraliser ▸ T
7 orchestrer ▸ T
8 ordonnancer ▸ T
7 ordonner ▸ I, T, P
7 organiser ▸ T, P
7 orienter ▸ T, P
7 ornementer ▸ T
7 orner ▸ T
17 orthographier ▸ I, T, P
7 osciller ▸ I
7 oser ▸ T
17 ossifier ▸ T, P
7 ôter ▸ T, P
17 oublier ▸ I, T, P
39 ouïr ▸ T, D, surtout p.p. et passé comp.
21 ourdir ▸ T, P
7 ourler ▸ T
7 outiller ▸ T, P
9 outrager ▸ T
7 outrepasser ▸ T
7 outrer ▸ T
29 ouvrir ▸ I, T, P
7 ovationner ▸ T
7 ovuler ▸ I
7 oxyder ▸ T, P
11 oxygéner ▸ T, P

P

17 pacifier ▸ T
7 pacquer ▸ T
7 pactiser ▸ I

T : transitif direct (p.p. variable) Ti : transitif indirect (p.p. invariable)
I : intransitif (p.p. invariable) P : construction pronominale
imp. : verbe impersonnel D : verbe défectif
être : verbe conjugué avec l'auxiliaire être
être ou avoir : conjugué avec les deux auxiliaires

18 pagayer ▸ I
7 paginer ▸ T
13 pailleter ▸ T
71 **paître / paitre**
  ▸ I, T, D
7 palabrer ▸ I
21 pâlir ▸ I, T
7 palissader ▸ T
7 palisser ▸ T
17 pallier ▸ T
7 palper ▸ T
7 palpiter ▸ I
7 se pâmer ▸ P
7 panacher ▸ I, T
7 paner ▸ T
17 panifier ▸ T
7 paniquer ▸ I, T
7 panser ▸ T
7 pantoufler ▸ I
7 papillonner ▸ I
7 papilloter ▸ I, T
7 papoter ▸ I
10 parachever ▸ T
7 parachuter ▸ T
7 parader ▸ I
7 paraffiner ▸ T
69 **paraître / paraitre**
  ▸ I, être ou avoir
7 paralyser ▸ T
7 paramétrer ▸ T
7 paraphraser ▸ T
7 parasiter ▸ T
7 parcheminer ▸ T, P
35 parcourir ▸ T
7 pardonner ▸ I, T, P
7 parer ▸ T, Ti, P
7 paresser ▸ I
67 **parfaire** ▸ T, D,
  surtout inf., p.p. et passé
  composé
7 parfumer ▸ T, P
17 parier ▸ I, T
7 se parjurer ▸ P
7 parlementer ▸ I
7 parler ▸ I, T, Ti
7 se parler ▸ P, p.p.
  invariable
17 parodier ▸ T

7 parquer ▸ I, T
7 parrainer ▸ T
10 parsemer ▸ T
9 partager ▸ T, P
7 participer ▸ Ti
7 particulariser ▸ T, P
27 partir ▸ I, être
27 partir ▸ T, D, seul. inf.
  dans l'expression *avoir*
  maille à partir
25 parvenir ▸ I, Ti, être
7 passer ▸ I, T, P, être
  ou avoir
7 passionner ▸ T, P
7 pasteuriser ▸ T
7 pasticher ▸ T
9 patauger ▸ I
7 patienter ▸ I
7 patiner ▸ I, T, P
21 pâtir ▸ I
7 pâtisser ▸ I
7 patoiser ▸ I
7 patronner ▸ T
7 patrouiller ▸ I
7 pâturer ▸ I, T
7 paumer ▸ T, P
7 paupériser ▸ T
7 pauser ▸ I
7 se pavaner ▸ P
7 paver ▸ T
7 pavoiser ▸ I, T
18 **payer** ▸ I, T, P
7 peaufiner ▸ T
11 pécher ▸ I
7 pêcher ▸ I, T, P
7 pédaler ▸ I
7 peigner ▸ T, P
62 **peindre** ▸ I, T, P
7 peiner ▸ I, T
7 peinturer ▸ T
7 peinturlurer ▸ T
13 **peler** ▸ I, T, P
13 pelleter ▸ T
7 peloter ▸ I, T
7 pelotonner ▸ T, P
7 pelucher ▸ I
7 pénaliser ▸ T
7 pencher ▸ I, T, P

7 pendouiller ▸ I
58 **pendre** ▸ I, T, P
11 pénétrer ▸ I, T, P
7 penser ▸ I, T, Ti
7 pensionner ▸ T
17 pépier ▸ I
8 percer ▸ I, T
41 percevoir ▸ T
7 percher ▸ I, T, P
7 percuter ▸ I, T
58 **perdre** ▸ I, T, P
7 perdurer ▸ I
7 pérenniser ▸ T
7 perfectionner ▸ T, P
7 perforer ▸ T
7 perfuser ▸ T
7 péricliter ▸ I
7 se périmer ▸ P
7 périphraser ▸ I
21 périr ▸ I
7 perler ▸ I, T
7 permanenter ▸ T
61 **permettre** ▸ T, P
7 permuter ▸ I
7 pérorer ▸ I
11 perpétrer ▸ T, P
7 perpétuer ▸ T, P
7 perquisitionner ▸ I
7 persécuter ▸ T
11 persévérer ▸ I
7 persifler ▸ T
7 persister ▸ I
7 personnaliser ▸ T
17 personnifier ▸ T
7 persuader ▸ T, P
7 perturber ▸ T
21 pervertir ▸ T, P
10 **peser** ▸ I, T, P
7 pester ▸ I
7 pétarader ▸ I
11 péter ▸ I, T
7 pétiller ▸ I
7 petit-déjeuner ▸ I
7 pétitionner ▸ I
17 pétrifier ▸ T, P
21 pétrir ▸ T
7 peupler ▸ T, P
7 phagocyter ▸ T

7 philosopher ► I	7 planer ► I, T	8 policer ► T
7 phosphater ► T	17 planifier ► T	21 polir ► T, P
7 phosphorer ► I	7 planquer ► I, T, P	7 polissonner ► I
17 photocopier ► T	7 planter ► T, P	7 politiquer ► I
17 photographier ► T	7 plaquer ► T, P	7 politiser ► T, P
7 phraser ► I, T	17 plastifier ► T	7 polluer ► I, T
7 piaffer ► I	7 plastiquer ► T	17 polycopier ► T
7 piailler ► I	7 plastronner ► I, T	7 pommader ► T, P
7 pianoter ► I, T	7 platiner ► T	13 se pommeler ► P
7 picoler ► I, T	7 plâtrer ► T	7 pommer ► I
7 picorer ► I, T	7 plébisciter ► T	7 pomper ► I, T
7 picoter ► T	7 pleurer ► I, T	7 pomponner ► T, P
12 piéger ► T	7 pleurnicher ► I	7 poncer ► T
7 piétiner ► I, T	7 pleuvioter ► imp. :	7 ponctionner ► T
7 se pieuter ► P	*il pleuviote*	7 ponctuer ► T
7 pigeonner ► T	48 pleuvoir ► I, imp. :	11 pondérer ► T
9 piger ► I, T	*il pleut*	58 pondre ► I, T
7 pigmenter ► T	7 pleuvoter ► imp. :	7 ponter ► I, T
7 piler ► I, T	*il pleuvote*	17 pontifier ► I
7 piller ► T	17 plier ► I, T, P	7 populariser ► T, P
7 pilonner ► T	7 plisser ► I, T, P	7 porter ► I, T, Ti, P
7 piloter ► T	7 plomber ► T, P	7 portraiturer ► T
7 pimenter ► T	9 plonger ► I, T, P	7 poser ► I, T
7 pinailler ► I	19 ployer ► I, T	7 positionner ► T, P
8 pincer ► I, T, P	7 plucher ► I	7 positiver ► I, T
7 piocher ► I, T	7 plumer ► I, T, P	11 posséder ► T, P
8 pioncer ► I	7 pocher ► I, T	7 postdater ► T
7 piper ► I, T	7 poêler ► T	7 poster ► T, P
7 pique-niquer ► I	7 poétiser ► T	7 postillonner ► I
7 piquer ► I, T	7 poignarder ► T	7 postposer ► T
13 piqueter ► T	7 se poiler ► P	7 postsynchroniser ► T
7 pirater ► I, T	7 poinçonner ► T	7 postuler ► I, T
7 pirouetter ► I	63 poindre ► I, T, D,	7 potasser ► I, T
7 pisser ► I, T	seul. inf., 3ᵉ pers. prés.,	7 potentialiser ► T
7 pister ► T	imparf., futur. ind.,	7 poudrer ► T, P
7 pistonner ► T	part. prés.	19 poudroyer ► I
7 pivoter ► I	7 pointer ► T, P	7 pouffer ► I
7 placarder ► T	7 pointiller ► I, T	7 pouponner ► I
8 placer ► T, P	7 poireauter ► I	7 pourchasser ► T, P
7 plafonner ► I, T	7 poisser ► I, T	58 pourfendre ► T
17 plagier ► T	7 poivrer ► T, P	11 pourlécher ► T, P
7 plaider ► I, T	7 polariser ► T, P	21 pourrir ► I, T
64 plaindre ► T, P	7 polémiquer ► I	81 poursuivre ► T, P
68 plaire ► I, Ti		
68 se plaire ► P.		
p.p. invariable		
7 plaisanter ► I, T		
7 plancher ► I		

T : transitif direct (p.p. variable)   Ti : transitif indirect (p.p. invariable)
I : intransitif (p.p. invariable)   P : construction pronominale
imp. : verbe impersonnel   D : verbe défectif
être : verbe conjugué avec l'auxiliaire être
être ou avoir : conjugué avec les deux auxiliaires

43 pourvoir ▸ T, Ti ,P
7 pousser ▸ I, T, P
46 pouvoir ▸ I, T
46 se pouvoir ▸ P, imp. :
   il se peut
7 pratiquer ▸ I, T, P
7 précariser ▸ T, P
7 précautionner ▸ T, P
11 précéder ▸ I, T
7 préchauffer ▸ T
7 prêcher ▸ I, T
7 précipiter ▸ T, P
7 préciser ▸ I, T, P
7 précompter ▸ T
7 préconiser ▸ T
7 prédestiner ▸ T
7 prédéterminer ▸ T
84 prédire ▸ T
7 prédisposer ▸ I, T
7 prédominer ▸ I
21 préétablir ▸ T
7 préexister ▸ I
8 préfacer ▸ T
11 préférer ▸ I, T, P
7 préfigurer ▸ T
7 préfixer ▸ T
7 préformer ▸ T
17 préjudicier ▸ I
7 préjuger ▸ T, Ti
7 se prélasser ▸ P
10 prélever ▸ T
7 préluder ▸ I, Ti
7 préméditer ▸ T, Ti
21 prémunir ▸ T, P
59 prendre ▸ I, T, P
7 prénommer ▸ T, P
7 préoccuper ▸ T, P
7 préparer ▸ T, P
7 préposer ▸ T
7 prérégler ▸ T
7 présager ▸ T
86 prescrire ▸ I, T, P
7 présélectionner ▸ T
7 présenter ▸ I, T, P
7 préserver ▸ T, P
7 présider ▸ I, T, Ti
27 pressentir ▸ T
7 presser ▸ I, T, P

7 pressurer ▸ T, P
7 présumer ▸ T, Ti
7 présupposer ▸ T
7 présurer ▸ T
58 prétendre ▸ T, Ti, P
7 prêter ▸ I, T, P
7 prétexter ▸ T
50 prévaloir ▸ I, P
25 prévenir ▸ T
42 prévoir ▸ T
17 prier ▸ I, T
7 primer ▸ I, T
7 priser ▸ I, T
7 privatiser ▸ T
7 priver ▸ T, P
17 privilégier ▸ T
11 procéder ▸ I, Ti
7 proclamer ▸ T
16 procréer ▸ T
7 procurer ▸ T, P
7 prodiguer ▸ T, P
88 produire ▸ I, T, P
7 profaner ▸ T
11 proférer ▸ T
7 professer ▸ I, T
7 professionnaliser ▸ T, P
7 profiler ▸ T, P
7 profiter ▸ Ti
7 programmer ▸ I, T
7 progresser ▸ I
7 prohiber ▸ T
15 projeter ▸ T, P
7 prolétariser ▸ T
11 proliférer ▸ I
9 prolonger ▸ T, P
10 promener ▸ T, P
61 promettre ▸ I, T, P
7 promotionner ▸ T
47 promouvoir ▸ T, surtout
   inf., p.p. *(promu, promue,*
   promus, promues), passé
   comp. et voix passive
7 promulguer ▸ T
7 prôner ▸ I, T
8 prononcer ▸ I, T, P
7 pronostiquer ▸ T
9 propager ▸ T, P
7 prophétiser ▸ I, T

7 proportionner ▸ T, P
7 proposer ▸ I, T, P
7 propulser ▸ T, P
9 proroger ▸ T, P
86 proscrire ▸ T
7 prospecter ▸ I, T
11 prospérer ▸ I
7 prosterner ▸ T, P
7 prostituer ▸ T, P
12 protéger ▸ T, P
7 protester ▸ I, T, Ti
7 prouver ▸ T, P
25 provenir ▸ I, être
7 provisionner ▸ T
7 provoquer ▸ T, P
17 psalmodier ▸ I, T
7 psychanalyser ▸ T
17 publier ▸ I, T
7 puer ▸ I, T
7 puiser ▸ I, T
7 pulluler ▸ I
7 pulvériser ▸ T
7 punaiser ▸ T
21 punir ▸ T
9 purger ▸ T, P
17 purifier ▸ T, P
17 putréfier ▸ T, P

Q

7 quadriller ▸ T
7 quadrupler ▸ I, T
17 qualifier ▸ T, P
17 quantifier ▸ T
7 quémander ▸ I, T
7 quereller ▸ T, P
26 quérir ▸ T, D, seul.
   infinitif
7 questionner ▸ T, P
7 quêter ▸ I, T
7 quintupler ▸ I, T
7 quitter ▸ I, T, P

R

7 rabâcher ▸ I, T
7 rabaisser ▸ T,
60 rabattre ▸ I, T, P
7 rabibocher ▸ T, P
7 rabioter ▸ I, T

7 raboter ▸ T
21 se rabougrir ▸ P
7 rabouter ▸ T
7 rabrouer ▸ T
7 raccommoder ▸ T, P
7 raccompagner ▸ T
7 raccorder ▸ T, P
21 raccourcir ▸ I, T
7 raccrocher ▸ I, T, P
13 racheter ▸ T, P
7 racketter ▸ T
7 racler ▸ T, P
7 racoler ▸ T
7 raconter ▸ T, P
21 racornir ▸ T, P
7 radicaliser ▸ T, P
17 radier ▸ T
7 radiner ▸ P
7 radiodiffuser ▸ T
17 radiographier ▸ T
7 radioguider ▸ T
7 radoter ▸ I
21 radoucir ▸ I, T, P
21 raffermir ▸ T, P
7 raffiner ▸ I, T
7 raffoler ▸ Ti
7 rafistoler ▸ T
7 rafler ▸ T
21 rafraîchir / rafraichir ▸ I, T, P
21 ragaillardir ▸ T
9 rager ▸ I
21 raidir ▸ T, P
7 railler ▸ I, T, P
7 rainurer ▸ T
7 raisonner ▸ I, T, Ti, P
21 rajeunir ▸ I, T, P
7 rajouter ▸ T
7 rajuster ▸ T, P
21 ralentir ▸ I, T, P
7 râler ▸ I
17 rallier ▸ I, T, P
9 rallonger ▸ I, T
7 rallumer ▸ I, T, P
9 ramager ▸ I, T
7 ramasser ▸ T, P
7 ramender ▸ T
10 ramener ▸ T, P

7 ramer ▸ I, T
7 rameuter ▸ T, P
17 se ramifier ▸ P
21 ramollir ▸ T, P
7 ramoner ▸ I, T
7 ramper ▸ I
7 rancarder ▸ T, P
21 rancir ▸ I, P
7 rançonner ▸ T
7 randonner ▸ I
9 ranger ▸ T, P
7 ranimer ▸ T, P
17 rapatrier ▸ T
7 râper ▸ T
7 rapetisser ▸ I, T, P
8 rapiécer ▸ T
7 rapiner ▸ I
21 raplatir ▸ T
14 rappeler ▸ I, T, P
7 rapper ▸ I
7 rappliquer ▸ I
7 rapporter ▸ I, T, P
7 rapprocher ▸ I, T, P
7 rapproprier ▸ T
7 raquer ▸ I, T
17 raréfier ▸ T, P
11 raser ▸ T, P
17 rassasier ▸ T, P
7 rassembler ▸ T, P
52 rasseoir / rassoir ▸ I, T, P, p.p. *rassis, rassise, rassises*
11 rasséréner ▸ T, P
7 rassurer ▸ T, P
7 ratatiner ▸ T, P
7 rater ▸ I, T
7 ratiboiser ▸ T
17 ratifier ▸ T
7 rationaliser ▸ T
7 rationner ▸ T, P
7 ratisser ▸ T
7 rattacher ▸ T, P
7 rattraper ▸ T, P

7 raturer ▸ T
9 ravager ▸ T
7 ravaler ▸ T, P
7 ravauder ▸ I, T
7 ravigoter ▸ T
7 raviner ▸ T
21 ravir ▸ T
7 se raviser ▸ P
7 ravitailler ▸ T, P
7 raviver ▸ T, P
18 rayer ▸ T
7 rayonner ▸ I, T
7 réabonner ▸ T, P
7 réabsorber ▸ T
7 réaccoutumer ▸ T, P
7 réactiver ▸ T
7 réactualiser ▸ T
7 réadapter ▸ T, P
7 réaffirmer ▸ T
21 réagir ▸ I, Ti
7 réajuster ▸ T
7 réaliser ▸ T, P
7 réaménager ▸ T
7 réanimer ▸ T
69 réapparaître / réapparaitre ▸ I, être ou avoir
59 réapprendre ▸ T
7 réapprovisionner ▸ T, P
7 réargenter ▸ T
7 réarmer ▸ I, T
8 réarranger ▸ T
7 réassigner ▸ T
21 réassortir ▸ T, P
7 réassurer ▸ T, P
7 rebaisser ▸ I
21 rebâtir ▸ T
60 rebattre ▸ T
7 se rebeller ▸ P
7 se rebiffer ▸ P
7 rebiquer ▸ I
7 reboiser ▸ T
21 rebondir ▸ I

T : transitif direct (p.p. variable) Ti : transitif indirect (p.p. invariable)
I : intransitif (p.p. invariable) P : construction pronominale
imp. : verbe impersonnel D : verbe défectif
être : verbe conjugué avec l'auxiliaire être
être ou avoir : conjugué avec les deux auxiliaires

7 reborder ▸ T
7 reboucher ▸ T, P
7 rebouter ▸ T
7 reboutonner ▸ T, P
7 rebroder ▸ T
7 rebrousser ▸ I, T, P
7 rebuter ▸ I, T, P
13 recacheter ▸ T
7 recaler ▸ T
7 récapituler ▸ T
7 recaser ▸ T, P
7 recéder ▸ T
13 receler ▸ I, T
11 recéler ▸ I, T
7 recenser ▸ T
7 recentrer ▸ T
7 réceptionner ▸ T
7 recercler ▸ T
41 recevoir ▸ I, T, P
9 rechanger ▸ T
7 rechanter ▸ T
7 rechaper ▸ T
7 réchapper ▸ I
9 recharger ▸ T
7 rechasser ▸ I, T
7 réchauffer ▸ T, P
7 rechausser ▸ T, P
7 rechercher ▸ T
7 rechigner ▸ I, Ti
7 rechuter ▸ I
7 récidiver ▸ I
7 réciter ▸ T
7 réclamer ▸ I, T, P
7 reclasser ▸ T
7 reclouer ▸ T
7 recoiffer ▸ T, P
7 recoller ▸ T, Ti
7 récolter ▸ T, P
7 recommander ▸ T, P
8 recommencer ▸ I, T
7 récompenser ▸ T
7 recomposer ▸ T, P
7 recompter ▸ T
17 réconcilier ▸ T, P
88 reconduire ▸ T
7 réconforter ▸ T, P
69 reconnaître /
    reconnaitre ▸ T, P

26 reconquérir ▸ T
11 reconsidérer ▸ T
7 reconsolider ▸ T
7 reconstituer ▸ T, P
88 reconstruire ▸ T
21 reconvertir ▸ T, P
17 recopier ▸ T
9 recorriger ▸ T
7 recoucher ▸ T, P
79 recoudre ▸ T
7 recouper ▸ T, P
7 recourber ▸ T, P
35 recourir ▸ T, Ti
7 recouvrer ▸ T
29 recouvrir ▸ T, P
7 recracher ▸ I, T
16 recréer ▸ T
16 récréer ▸ T, P
17 se récrier ▸ P
7 récriminer ▸ I
86 récrire ▸ T
7 se recroqueviller ▸ P
7 recruter ▸ I, T, P
17 rectifier ▸ T
30 recueillir ▸ T, P
88 recuire ▸ I, T
7 reculer ▸ I, T, P
11 récupérer ▸ T
7 récurer ▸ T
7 récuser ▸ T
7 se récuser ▸ P
7 recycler ▸ T, P
29 redécouvrir ▸ T
67 redéfaire ▸ T
21 redéfinir ▸ T
7 redemander ▸ T
7 redémarrer ▸ I
58 redescendre ▸ I, T, être
    ou avoir
25 redevenir ▸ I, être
7 rediffuser ▸ T
9 rédiger ▸ I, T
84 redire ▸ T, Ti
7 rediscuter ▸ T
7 redistribuer ▸ T
7 redonner ▸ I, T
7 redorer ▸ T
7 redoubler ▸ I, T, Ti

7 redouter ▸ T
7 redresser ▸ T, P
88 réduire ▸ T, P
86 réécrire ▸ T
17 réédifier ▸ T
7 rééditer ▸ T
7 rééduquer ▸ T
83 réélire ▸ T
7 réembaucher ▸ T
19 réemployer ▸ T
8 réensemencer ▸ T
58 réentendre ▸ T
7 rééquilibrer ▸ T
18 réessayer ▸ T
7 réévaluer ▸ T
7 réexaminer ▸ T
17 réexpédier ▸ T
7 réexporter ▸ T
67 refaire ▸ T, P
58 refendre ▸ T
8 référencer ▸ T
11 référer ▸ Ti, P
7 refermer ▸ T, P
7 refiler ▸ T
21 réfléchir ▸ I, T, Ti, P
11 refléter ▸ T, P
21 refleurir ▸ I, T
7 refluer ▸ I
58 refondre ▸ I, T
7 reformer ▸ T, P
7 réformer ▸ T, P
7 reformuler ▸ T
7 refouiller ▸ T
7 refouler ▸ I, T
7 réfracter ▸ T
11 refréner / réfréner ▸ T, P
11 réfrigérer ▸ T
21 refroidir ▸ I, T, P
17 se réfugier ▸ P
7 refuser ▸ I, T, P
7 réfuter ▸ T
7 regagner ▸ T
7 régaler ▸ T, P
7 regarder ▸ I, T, Ti, P
21 regarnir ▸ T
7 régater ▸ I
13 regeler ▸ I, T
11 régénérer ▸ T, P

7 régenter ▸ I, T	8 relancer ▸ I, T	7 remonter ▸ I, T, être
7 regimber ▸ I, P	7 relater ▸ T	ou avoir, P
7 régionaliser ▸ T	7 relativiser ▸ T	7 remontrer ▸ I, T, Ti, P
21 régir ▸ T	7 relaver ▸ I, T	58 remordre ▸ T
7 réglementer ▸ T	7 relaxer ▸ T, P	7 remorquer ▸ T
11 régler ▸ T, P	18 relayer ▸ I, T, P	7 remouiller ▸ I, T
11 régner ▸ I	11 reléguer ▸ T	7 rempailler ▸ T
7 regonfler ▸ I, T	10 relever ▸ I, T, Ti, P	13 rempaqueter ▸ T
7 regorger ▸ I	17 relier ▸ T	11 rempiéter ▸ T
7 regreffer ▸ T	83 relire ▸ T, P	7 rempiler ▸ I, T
7 régresser ▸ I	7 reloger ▸ T, P	8 remplacer ▸ T, P
7 regretter ▸ T	7 relooker ▸ T	21 remplir ▸ T, P
21 regrossir ▸ I	7 relouer ▸ T	19 employer ▸ T
7 regrouper ▸ T, P	88 reluire ▸ I	7 remplumer ▸ T, P
7 régulariser ▸ T	7 reluquer ▸ T	7 rempocher ▸ T
7 réguler ▸ T, P	7 remâcher ▸ T	7 remporter ▸ T
7 régurgiter ▸ T	7 remailler ▸ T	7 rempoter ▸ T
7 réhabiliter ▸ T, P	9 remanger ▸ T	7 remprunter ▸ T
7 réhabituer ▸ T, P	17 remanier ▸ T	7 remuer ▸ I, T, P
7 rehausser ▸ T	7 remaquiller ▸ T, P	11 rémunérer ▸ T
7 réhydrater ▸ T	7 remarcher ▸ I	7 renâcler ▸ I
17 réifier ▸ T	17 remarier ▸ T	70 renaître / renaitre
7 réimperméabiliser	7 remarquer ▸ T, P	▸ I, Ti, être ; p.p. et
▸ T	7 remballer ▸ T	passé comp.
7 réimplanter ▸ T	7 rembarquer ▸ I, T, P	7 renauder ▸ I
7 réimporter ▸ T	7 rembarrer ▸ T	7 rencaisser ▸ T
7 réimposer ▸ T	7 rembaucher ▸ T	7 rencarder ▸ T
7 réimprimer ▸ T	7 rembobiner ▸ T	21 renchérir ▸ I, T
11 réincarcérer ▸ T, P	7 remboîter / remboiter	7 rencontrer ▸ T, P
7 se réincarner ▸ P	▸ T	34 rendormir ▸ T, P
7 réincorporer ▸ T	7 rembourrer ▸ T	58 rendre ▸ I, T, P
7 réinfecter ▸ T, P	7 rembourser ▸ T	7 renfermer ▸ T, P
7 réinjecter ▸ T	21 rembrunir ▸ T, P	7 renfiler ▸ T
86 réinscrire ▸ T, P	17 remédier ▸ Ti	7 renflammer ▸ T
11 réinsérer ▸ T, P	7 remembrer ▸ T	7 renfler ▸ I, T, P
7 réinstaller ▸ T, P	7 remémorer ▸ T, P	7 renflouer ▸ T
11 réintégrer ▸ T	17 remercier ▸ T	8 renfoncer ▸ T
11 réinterpréter ▸ T	61 remettre ▸ T, P	8 renforcer ▸ T
88 réintroduire ▸ T	7 remeubler ▸ T	7 se renfrogner ▸ P
7 réinventer ▸ T	7 remilitariser ▸ T, P	9 rengager ▸ I, T, P
7 réinviter ▸ T	7 remiser ▸ T, P	9 rengainer ▸ T
11 réitérer ▸ I, T	10 remmener ▸ T	9 se rengorger ▸ P
21 rejaillir ▸ I	13 remodeler ▸ T	17 renier ▸ T, P
15 rejeter ▸ T, P		
63 rejoindre ▸ T, P		
7 rejouer ▸ I, T		
21 réjouir ▸ I, T, P		
7 relâcher ▸ I, T, P		

T : transitif direct (p.p. variable) Ti : transitif indirect (p.p. invariable)
I : intransitif (p.p. invariable) P : construction pronominale
imp. : verbe impersonnel D : verbe défectif
être : verbe conjugué avec l'auxiliaire être
être ou avoir : conjugué avec les deux auxiliaires

7 renifler ▸ I, T
7 renommer ▸ T
8 renoncer ▸ T, Ti
7 renouer ▸ T, P
13 renouveler ▸ I, T, P
7 rénover ▸ T
7 renseigner ▸ T, P
7 rentabiliser ▸ T
7 rentrer ▸ I, T, être
ou avoir
7 renverser ▸ T, P
20 renvoyer ▸ T, P
7 réoccuper ▸ T
11 réopérer ▸ T
7 réorganiser ▸ T, P
7 réorienter ▸ T
72 repaître / repaitre
▸ T, P, être ou avoir
58 répandre ▸ T, P
69 reparaître / reparaitre
▸ I, être ou avoir
7 réparer ▸ T
7 reparler ▸ I, P
27 repartir (partir à
nouveau) ▸ I, être
27 repartir (répondre)
▸ T
21 répartir ▸ T, P
7 se repasser ▸ P
7 repasser ▸ I, T, être
ou avoir, P
7 repaver ▸ T
18 repayer ▸ T, P
7 repêcher ▸ T
62 repeindre ▸ T
7 repenser ▸ I, T
27 se repentir ▸ P
8 repercer ▸ T
7 répercuter ▸ T, P
58 reperdre ▸ T
11 repérer ▸ T, P
17 répertorier ▸ T
11 répéter ▸ T, P
7 repeupler ▸ T, P
7 repiquer ▸ I, T
8 replacer ▸ T, P
7 replanter ▸ I, T, P
7 replâtrer ▸ T

48 repleuvoir ▸ imp.
Il repleut
17 replier ▸ T, P
7 répliquer ▸ I, T, P
9 replonger ▸ I, T, P
58 répondre ▸ I, T, Ti, P
7 reporter ▸ T, P
7 reposer ▸ I, T, P
7 repositionner ▸ T
7 repousser ▸ I ,T, P
59 reprendre ▸ I, T, P
7 représenter ▸ I, T, P
7 réprimander ▸ T
7 réprimer ▸ T
7 repriser ▸ T
7 reprocher ▸ T, P
88 reproduire ▸ T, P
7 reprogrammer ▸ T
17 reprographier ▸ T
7 réprouver ▸ T
7 répudier ▸ T
7 répugner ▸ T, Ti
7 réputer ▸ T
17 requalifier ▸ T, P
26 requérir ▸ T
7 requinquer ▸ T, P
7 réquisitionner ▸ T
7 resaler ▸ T
21 resalir ▸ T, P
7 resemer ▸ T
7 réserver ▸ T, P
7 résider ▸ I
7 résigner ▸ T, P
17 résilier ▸ T
7 résister ▸ Ti
7 résonner ▸ I
7 résorber ▸ T, P
78 résoudre ▸ T, P
7 respecter ▸ T, P
7 respirer ▸ I, T
21 resplendir ▸ I
7 responsabiliser ▸ T
7 resquiller ▸ I, T
7 ressaigner ▸ I, T
21 ressaisir ▸ T, P
7 ressasser ▸ T
7 ressauter ▸ I, T
7 ressembler ▸ Ti

7 se ressembler ▸ P,
p.p. invariable
13 ressemeler ▸ T
7 ressemer ▸ T, P
27 ressentir ▸ T, P
7 resserrer ▸ T, P
37 resservir ▸ I, T, P
21 ressortir (du ressort de)
▸ Ti, avoir
27 ressortir (sortir de
nouveau) ▸ I, T, être
ou avoir
7 ressouder ▸ T, P
8 ressourcer ▸ T, P
25 se ressouvenir ▸ P
21 ressurgir ▸ I
7 ressusciter ▸ I, T, être
ou avoir
19 ressuyer ▸ T, P
7 restaurer ▸ T, P
7 rester ▸ I, être
7 restituer ▸ T
62 restreindre ▸ T, P
7 restructurer ▸ T
7 résulter ▸ I, être ou
avoir, seul 3e pers. part.
prés. et p.p.
7 résumer ▸ T, P
21 resurgir ▸ I
21 rétablir ▸ T, P
7 retailler ▸ T
7 rétamer ▸ T, P
7 retaper ▸ T, P
7 retapisser ▸ T
7 retarder ▸ I, T
58 retendre ▸ T
25 retenir ▸ I, T, P
7 retenter ▸ T
21 retentir ▸ I
7 retirer ▸ T, P
7 retisser ▸ T
7 retomber ▸ I, être
58 retordre ▸ T
7 rétorquer ▸ T
7 retoucher ▸ T, Ti
7 retourner ▸ I, T, P, être
ou avoir
8 retracer ▸ T

7 rétracter ► T, P
7 retraiter ► T
7 retrancher ► T, P
86 retranscrire ► T
61 retransmettre ► T
7 retravailler ► I, T, Ti
7 retraverser ► T
21 rétrécir ► I, T, P
7 retremper ► T, P
7 rétribuer ► T
21 rétroagir ► I
11 rétrocéder ► I, T
7 rétrograder ► I, T
7 retrousser ► T, P
7 retrouver ► T, P
17 réunifier ► T
21 réunir ► T, P
21 réussir ► I, T, Ti
7 réutiliser ► T
7 revacciner ► T
50 revaloir ► T, D, seul.
    inf., futur et cond. présent
7 revaloriser ► T
7 se revancher ► P
7 rêvasser ► I
7 réveiller ► T, P
7 réveillonner ► I
11 révéler ► T, P
7 revendiquer ► I, T, P
58 revendre ► T, P
25 revenir ► I, être
7 rêver ► I, T, Ti
11 réverbérer ► T, P
21 reverdir ► I, T
11 révérer ► T
21 revernir ► T
7 reverser ► T
28 revêtir ► T, P
7 revigorer ► T
7 réviser ► I, T
7 revisiter ► T
7 revisser ► T
7 revitaliser ► T
17 revivifier ► T
82 revivre ► I, T
42 revoir ► T, P
7 revoler ► I, T
7 révolter ► T, P

7 révolutionner ► T
7 révolvériser ► T
7 révoquer ► T
7 revoter ► I, T
51 revouloir ► T
7 révulser ► T, P
7 rewriter ► T
7 rhabiller ► T, P
7 ricaner ► I
7 ricocher ► I
7 rider ► T, P
7 ridiculiser ► T, P
17 rigidifier ► T
7 rigoler ► I
7 rimer ► I, T
8 rincer ► T, P
7 ripailler ► I
7 riper ► I, T
7 riposter ► I, T
85 rire ► I
85 se rire ► P,
    p.p. invariable
7 risquer ► T, P
7 rissoler ► I, T
7 ristourner ► T
7 ritualiser ► T
7 rivaliser ► I
7 river ► T
7 robotiser ► T
7 roder ► T
7 rôder ► I
7 rogner ► I, T
21 roidir ► T, P
8 romancer ► T
57 rompre ► I, T, P
7 ronchonner ► I
7 ronfler ► I
9 ronger ► T, P
7 ronronner ► I
7 roser ► T
21 rosir ► I, T
7 rosser ► T
7 roter ► I

21 rôtir ► I, T, P
7 roucouler ► I, T
7 rouer ► T
19 rougeoyer ► I
21 rougir ► I, T
7 rouiller ► I, T, P
7 rouler ► I, T, P
7 roupiller ► I
11 rouspéter ► I
21 roussir ► I, T
29 rouvrir ► I, T, P
7 rubaner ► T
19 rudoyer ► T
7 ruer ► I, P
21 rugir ► I, T
7 ruiner ► T, P
13 ruisseler ► I
7 ruminer ► I, T
7 ruser ► I
7 rustiquer ► T
7 rutiler ► I
7 rythmer ► T

S

7 sabler ► I, T
7 saborder ► T, P
7 saboter ► I, T
7 sabrer ► I, T
7 saccader ► T
9 saccager ► T
7 sacquer ► T
7 sacraliser ► T
7 sacrer ► I, T
17 sacrifier ► T, P
7 safraner ► T
7 saigner ► I, T, P
21 saillir *(accoupler)* ► T, D,
    seul. inf., 3e pers.
    temps simples et part.
    prés. *(saillissant)*
31 saillir *(sortir)* ► I, D
    comme *assaillir* mais seul.
    inf. et 3e pers.

T : transitif direct (p.p. variable)   Ti : transitif indirect (p.p. invariable)
I : intransitif (p.p. invariable)   P : construction pronominale
imp. : verbe impersonnel   D : verbe défectif
être : verbe conjugué avec l'auxiliaire être
être ou avoir : conjugué avec les deux auxiliaires

21 saisir ▸ T, P
7 salarier ▸ T
7 saler ▸ T
21 salir ▸ T, P
7 saliver ▸ I
7 saloper ▸ T
7 saluer ▸ T, P
17 sanctifier ▸ T
7 sanctionner ▸ T
7 sanctuariser ▸ T
7 sandwicher ▸ T
7 sangler ▸ T, P
7 sangloter ▸ I
7 saper ▸ T, P
7 sarcler ▸ T
7 sasser ▸ T
7 satelliser ▸ T, P
7 satiner ▸ T
7 satiriser ▸ T
67 satisfaire ▸ T, Ti, P
7 saturer ▸ I, T
8 saucer ▸ T
7 saucissonner ▸ I, T
7 saumurer ▸ T
7 saupoudrer ▸ T
7 sauter ▸ I, T
7 sautiller ▸ I
7 sauvegarder ▸ T
7 sauver ▸ I, T, P
44 savoir ▸ I, T, P
7 savonner ▸ T, P
7 savourer ▸ T
7 scalper ▸ T
7 scandaliser ▸ I, T, P
7 scander ▸ T
7 scanner ▸ T
17 scarifier ▸ T
7 sceller ▸ T
7 scénariser ▸ T
17 schématiser ▸ I, T
7 schlinguer ▸ I
17 scier ▸ I, T
7 scinder ▸ T, P
7 scintiller ▸ I
7 se scléroser ▸ P
7 scolariser ▸ T
7 scotcher ▸ T
7 scratcher ▸ I, T

7 scruter ▸ T
7 sculpter ▸ I, T
11 sécher ▸ I, T, P
7 seconder ▸ T
7 secouer ▸ T, P
35 secourir ▸ T
11 sécréter ▸ T
7 sectionner ▸ T, P
7 sectoriser ▸ T
7 séculariser ▸ T
7 sécuriser ▸ T
7 sédentariser ▸ T
7 sédimenter ▸ T
88 séduire ▸ I, T
7 segmenter ▸ T, P
7 séjourner ▸ I
7 sélectionner ▸ T
7 seller ▸ T
7 sembler ▸ I
10 semer ▸ I, T
7 sensibiliser ▸ T, P
27 sentir ▸ I, T, P
53 seoir ▸ I, D
7 séparer ▸ T, P
8 séquencer ▸ T
7 séquestrer ▸ T
17 sérier ▸ T
7 seriner ▸ T
7 sermonner ▸ T
7 serpenter ▸ I
7 serrer ▸ I, T, P
21 sertir ▸ T
37 servir ▸ I, T, Ti, P
21 sévir ▸ I
7 sevrer ▸ T
7 sextupler ▸ I, T
7 sexualiser ▸ T
7 shampooiner ▸ T
7 shampouiner ▸ T
7 shooter ▸ I, T
7 shunter ▸ T
11 sidérer ▸ T
12 siéger ▸ I
7 siffler ▸ I, T
7 siffloter ▸ I, T
7 signaler ▸ T, P
7 signaliser ▸ T
7 signer ▸ I, T, P

17 signifier ▸ T
7 silhouetter ▸ T, P
7 siliconer ▸ T
7 sillonner ▸ T
17 simplifier ▸ T
7 simuler ▸ T
9 singer ▸ T
7 singulariser ▸ T, P
7 sinuer ▸ I
7 siphonner ▸ T
7 siroter ▸ T
7 situer ▸ T, P
17 skier ▸ I
7 slalomer ▸ I
7 smurfer ▸ I
7 snober ▸ T
7 socialiser ▸ T
7 soigner ▸ I, T, P
7 solder ▸ T, P
7 solenniser ▸ T
7 solidariser ▸ T, P
17 solidifier ▸ T
7 soliloquer ▸ I
7 solliciter ▸ T
7 solubiliser ▸ T
7 solutionner ▸ T
7 somatiser ▸ I, T
7 sombrer ▸ I
7 sommeiller ▸ I
7 sommer ▸ T
7 somnoler ▸ I
7 sonder ▸ T
9 songer ▸ I, Ti
7 sonner ▸ I, T, Ti
7 sonoriser ▸ T
7 sophistiquer ▸ T, P
27 sortir ▸ I, T, être
   ou avoir, P
21 sortir *(droit)* ▸ T, D,
   seul. 3ᵉ pers. *(sortissait)*
17 soucier ▸ T, P
7 souder ▸ T, P
19 soudoyer ▸ T
7 souffler ▸ I, T
13 souffleter ▸ T
29 souffrir ▸ I, T, P
7 soufrer ▸ T
7 souhaiter ▸ T

7 souiller ▸ T
9 soulager ▸ T, P
7 soûler / souler ▸ T, P
10 soulever ▸ T, P
7 souligner ▸ T
61 soumettre ▸ T, P
7 soumissionner ▸ I, T
7 soupçonner ▸ T
7 souper ▸ I
10 soupeser ▸ T
7 soupirer ▸ I, T
7 sourciller ▸ I
85 sourire ▸ I, Ti
85 se sourire ▸ P,
   p.p. invariable
86 souscrire ▸ I, T, Ti
19 sous-employer ▸ T
58 sous-entendre ▸ T
7 sous-estimer ▸ T
7 sous-évaluer ▸ T
7 sous-exposer ▸ T
7 sous-louer ▸ T
7 sous-payer ▸ T
58 sous-tendre ▸ T
7 sous-titrer ▸ T
66 soustraire ▸ T, D, P,
   pas de passé ant.
   ni de subj. imparf.
7 sous-traiter ▸ I, T
25 soutenir ▸ T, P
7 soutirer ▸ T
25 souvenir ▸ I, P
7 soviétiser ▸ T
7 spatialiser ▸ T, P
7 spécialiser ▸ T, P
17 spécifier ▸ T
7 spéculer ▸ I
7 spiritualiser ▸ T
17 spolier ▸ T
7 sponsoriser ▸ T
7 sprinter ▸ I
7 squatter ▸ T
7 squeezer ▸ T
7 stabiliser ▸ T, P
7 stagner ▸ I
7 standardiser ▸ T
7 stationner ▸ I
7 statuer ▸ T, Ti

17 statufier ▸ T
17 sténographier ▸ T
7 stériliser ▸ T
7 stigmatiser ▸ T
7 stimuler ▸ T
7 stipuler ▸ T
7 stocker ▸ T
7 stopper ▸ I, T
17 stratifier ▸ T
7 stresser ▸ I, T, P
17 strier ▸ T
7 structurer ▸ T, P
67 stupéfaire ▸ T, D,
   seul. 3e pers.
   sing., prés. ind.
   et temps comp. ; p.p.
   stupéfait, stupéfaite
17 stupéfier ▸ T
7 styliser ▸ T
7 subdiviser ▸ T, P
21 subir ▸ I, T
7 subjuguer ▸ T
7 sublimer ▸ I, T
9 submerger ▸ T
7 subodorer ▸ T
7 subordonner ▸ T, P
7 suborner ▸ T
9 subroger ▸ T
7 subsister ▸ I
7 substantiver ▸ T
7 substituer ▸ T, P
7 subtiliser ▸ I, T, P
25 subvenir ▸ Ti
7 subventionner ▸ T
11 succéder ▸ Ti
11 se succéder ▸ P,
   p.p. invariable
7 succomber ▸ I, Ti
8 sucer ▸ I, T, P
7 suçoter ▸ T
7 sucrer ▸ I, T, P
7 suer ▸ I, T
87 suffire ▸ I, Ti

87 se suffire ▸ P,
   p.p. invariable
7 suffixer ▸ T
7 suffoquer ▸ I, T
11 suggérer ▸ I, T
7 suggestionner ▸ T
7 se suicider ▸ P
7 suinter ▸ I, T
81 suivre ▸ I, T, P
7 sulfater ▸ T
7 sulfurer ▸ T
7 superposer ▸ T, P
7 superviser ▸ T
7 supplanter ▸ T, P
16 suppléer ▸ T, Ti
7 supplémenter ▸ T
17 supplicier ▸ T
17 supplier ▸ T
7 supporter ▸ T, P
7 supposer ▸ T
7 supprimer ▸ T, P
7 suppurer ▸ I
7 supputer ▸ T
7 surabonder ▸ I
7 surajouter ▸ T
7 suralimenter ▸ T
7 surbaisser ▸ T
9 surcharger ▸ T
7 surchauffer ▸ T
7 surclasser ▸ T
10 surélever ▸ T
21 surenchérir ▸ I
7 surentraîner /
   surentrainer ▸ T
7 suréquiper ▸ T
7 surestimer ▸ T, P
7 surévaluer ▸ T
7 surexciter ▸ T
7 surexploiter ▸ T
7 surexposer ▸ T
7 surfacturer ▸ T
7 surfer ▸ I
7 surfiler ▸ T

T : transitif direct (p.p. variable) Ti : transitif indirect (p.p. invariable)
I : intransitif (p.p. invariable) P : construction pronominale
imp. : verbe impersonnel D : verbe défectif
être : verbe conjugué avec l'auxiliaire être
être ou avoir : conjugué avec les deux auxiliaires

13 surgeler ► T
21 surgir ► I, être ou avoir
7 surimposer ► T
21 surinvestir ► I
15 surjeter ► T
7 surligner ► T
10 surmener ► T, P
7 surmonter ► T, P
9 surnager ► I
7 surnommer ► T
7 surpasser ► T
18 surpayer ► T
7 surpiquer ► T
7 surplomber ► I, T
59 surprendre ► T, P
88 surproduire ► T
9 surprotéger ► T
7 sursauter ► I
54 surseoir / sursoir ► T,
   Ti, p.p. sans féminin :
   sursis
7 surtaxer ► T
7 surveiller ► T, P
25 survenir ► I, être
82 survivre ► I, T, Ti
82 se survivre ► P,
   p.p. invariable
7 survoler ► T
7 survolter ► T
7 susciter ► T
7 suspecter ► T, P
58 suspendre ► T, P
7 sustenter ► T, P
7 susurrer ► I, T
7 suturer ► T
7 swinguer ► I
7 symboliser ► T
7 sympathiser ► I
7 synchroniser ► T
7 syncoper ► I, T
7 syndicaliser ► T
7 syndiquer ► T, P
7 synthétiser ► I, T
7 systématiser ► I, T, P

T

7 tabasser ► T, P
7 tabler ► Ti

7 tacher ► I, T, P
7 tâcher ► T, Ti
15 tacheter ► T
7 taguer ► I, T
7 taillader ► T
7 tailler ► I, T, P
68 taire ► T, P
7 talonner ► I, T
7 talquer ► T
7 tambouriner ► I, T
7 tamiser ► I, T
7 tamponner ► T, P
8 tancer ► T
7 tanguer ► I
7 tanner ► T
7 taper ► I, T, P
21 se tapir ► P
7 tapisser ► T
7 tapoter ► I, T
7 taquiner ► T, P
7 tarabiscoter ► T
7 tarabuster ► T
7 tarauder ► T
7 tarder ► I, Ti
7 tarer ► T
7 se targuer ► P
21 tarir ► I, T, P
7 tartiner ► I, T
7 tasser ► I, T, P
7 tâter ► T, Ti, P
7 tâtonner ► I
7 tatouer ► T
7 taxer ► T
7 tchatcher ► I
7 techniciser ► T
7 techniser ► T
7 technocratiser ► T
62 teindre ► T, P
7 teinter ► T, P
7 télécommander ► T
7 télédiffuser ► T
17 télégraphier ► I, T
7 téléguider ► T
7 téléphoner ► I, T, Ti, P
7 télescoper ► T, P
7 téléviser ► T
7 témoigner ► T, Ti
11 tempérer ► T, P

7 tempêter ► I
7 temporiser ► I, T
7 tenailler ► T
58 tendre ► T, Ti, P
25 tenir ► I, T, Ti, P
7 tenter ► I, T
7 tergiverser ► I
7 terminer ► T, P
21 ternir ► I, T, P
7 terrasser ► I, T
7 terrer ► I, T, P
17 terrifier ► T
7 terroriser ► T
7 tester ► I, T
7 tétaniser ► T, P
11 téter ► I, T
7 texturer ► T
7 théâtraliser ► I, T
7 théoriser ► I, T
7 thésauriser ► I, T
21 tiédir ► I, T
7 timbrer ► T
7 tinter ► I, T, Ti
7 tiquer ► I
7 tirailler ► I, T
7 tire-bouchonner ► I, T, P
7 tirer ► I, T, Ti, P
7 tisonner ► I, T
7 tisser ► T
7 titiller ► I, T
7 titrer ► T
7 tituber ► I
7 titulariser ► T
7 toiletter ► T
7 toiser ► T, P
11 tolérer ► T, P
7 tomber ► I, être
58 tondre ► T
17 tonifier ► T
7 tonitruer ► I
7 tonner ► I, T
7 tonsurer ► T
7 toper ► I
7 toquer ► I, P
7 torcher ► T, P
58 tordre ► T, P
16 toréer ► I
7 torpiller ► T

7 torréfier ▸ T	**7** transiter ▸ I, T	**7** tripoter ▸ I, T
7 torsader ▸ T	**61** transmettre ▸ T, P	**7** triturer ▸ T
7 tortiller ▸ I, T, P	**7** transmigrer ▸ I	**7** tromper ▸ T, P
7 torturer ▸ T, P	**7** transmu(t)er ▸ T, P	**13** trompeter / trompéter
7 totaliser ▸ T	**69** transparaître /	▸ I, T
7 toucher ▸ T, Ti, P	transparaitre ▸ I	**7** tronçonner ▸ T
7 touiller ▸ T	**8** transpercer ▸ T	**7** trôner ▸ I
7 tourbillonner ▸ I	**7** transpirer ▸ I, T	**7** tronquer ▸ T
7 tourmenter ▸ T, P	**7** transplanter ▸ T, P	**7** troquer ▸ T
7 tournailler ▸ I	**7** transporter ▸ T, P	**7** trotter ▸ I, P
7 tournebouler ▸ T	**7** transposer ▸ T	**7** trottiner ▸ I
7 tourner ▸ I, T, P	**7** transvaser ▸ T	**7** troubler ▸ T, P
7 tournicoter ▸ I	**7** traquer ▸ T	**7** trouer ▸ T
7 tourniquer ▸ I	**7** traumatiser ▸ T	**7** se trouer ▸ P
19 tournoyer ▸ I	**7** travailler ▸ I, T, Ti	**7** trousser ▸ T, P
7 tousser ▸ I	**7** travailloter ▸ I	**7** trouver ▸ T, P
7 toussoter ▸ I	**7** traverser ▸ T	**7** truander ▸ I, T
7 tracasser ▸ T, P	**21** travestir ▸ T, P	**7** trucider ▸ T
8 tracer ▸ I, T	**7** trébucher ▸ I, T	**7** truffer ▸ T
7 tracter ▸ T	**7** trembler ▸ I	**7** truquer ▸ I, T
88 traduire ▸ T, P	**7** trembloter ▸ I	**7** truster ▸ T
7 traficoter ▸ I	**7** se trémousser ▸ P	**7** tuber ▸ T
7 trafiquer ▸ T, Ti	**7** tremper ▸ I, T, P	**7** tuer ▸ I, T, P
21 trahir ▸ T, P	**7** trépaner ▸ T	**17** tuméfier ▸ T, P
7 traînailler / trainailler	**7** trépasser ▸ I, être	**7** turlupiner ▸ T
▸ I	ou avoir	**7** tuteurer ▸ T
7 traînasser / trainasser	**7** trépider ▸ I	**19** tutoyer ▸ T, P
▸ I, T	**7** trépigner ▸ I, T	**7** tuyauter ▸ I, T
7 traîner / trainer ▸ I, T, P	**31** tressaillir ▸ I	**7** typer ▸ T
66 traire ▸ T, D, sans passé	**7** tressauter ▸ I	**17** typographier ▸ T
ant. ni subj. imparf.	**7** tresser ▸ T	**7** tyranniser ▸ T
7 traiter ▸ T, Ti, P	**7** treuiller ▸ T	
7 tramer ▸ T, P	**7** trianguler ▸ T	**U**
7 trancher ▸ I, T	**7** tricher ▸ I	
7 tranquilliser ▸ T, P	**7** tricoter ▸ I, T	**11** ulcérer ▸ T, P
7 transbahuter ▸ T	**17** trier ▸ T	**7** (h)ululer ▸ I
7 transborder ▸ T	**7** trifouiller ▸ I, T	**17** unifier ▸ T, P
7 transcender ▸ T, P	**7** trimbal(l)er ▸ T, P	**7** uniformiser ▸ T
7 transcoder ▸ T	**7** trimer ▸ I	**21** unir ▸ T, P
86 transcrire ▸ T	**7** trinquer ▸ I	**7** universaliser ▸ T, P
11 transférer ▸ T	**7** triompher ▸ I, Ti	**7** urbaniser ▸ T
7 transfigurer ▸ T	**7** tripatouiller ▸ T	**7** uriner ▸ I, T
7 transformer ▸ T, P	**7** tripler ▸ I, T	**7** user ▸ T, Ti, P
7 transfuser ▸ T		**7** usiner ▸ T
7 transgresser ▸ T		
7 transhumer ▸ I, T		
9 transiger ▸ I		
21 transir ▸ I, T		

T : transitif direct (p.p. variable)   Ti : transitif indirect (p.p. invariable)
I : intransitif (p.p. invariable)   P : construction pronominale
imp. : verbe impersonnel   D : verbe défectif
être : verbe conjugué avec l'auxiliaire être
être ou avoir : conjugué avec les deux auxiliaires

V

7 usurper ▸ I, T
7 utiliser ▸ T

7 vacciner ▸ T
7 vaciller ▸ I
7 vadrouiller ▸ I
7 vagabonder ▸ I
21 vagir ▸ I
65 vaincre ▸ I, T
7 valdinguer ▸ I
7 valider ▸ T
50 valoir ▸ I, T, P
7 valoriser ▸ T
7 valser ▸ I, T
7 vamper ▸ T
7 vampiriser ▸ T
7 vandaliser ▸ T
7 vanner ▸ T
7 vanter ▸ T, P
7 vaporiser ▸ T
7 vaquer ▸ I, Ti
17 varier ▸ I, T
7 vasouiller ▸ I
7 se vautrer ▸ P
11 végéter ▸ I
7 véhiculer ▸ T, P
7 veiller ▸ I, T, Ti
7 veiner ▸ T
7 vêler ▸ I
7 velouter ▸ T, P
9 vendanger ▸ I, T
58 vendre ▸ I, T, P
11 vénérer ▸ T
7 venger ▸ T, P
25 venir ▸ I, être
25 s'en venir ▸ P
7 venter ▸ imp. : *il vente*
7 ventiler ▸ T

7 verbaliser ▸ I, T
21 verdir ▸ I, T
19 verdoyer ▸ I
17 vérifier ▸ T, P
7 vermillonner ▸ I, T
21 vernir ▸ T
7 vernisser ▸ T
7 verrouiller ▸ T, P
7 verser ▸ I, T, P
17 versifier ▸ I, T
28 vêtir ▸ T, P
7 vexer ▸ T, P
7 viabiliser ▸ T
7 vibrer ▸ I, T
17 vicier ▸ I, T
9 vidanger ▸ T
7 vider ▸ T, P
21 vieillir ▸ I, T, P
7 vilipender ▸ T
7 villégiaturer ▸ I
7 viner ▸ T
17 vinifier ▸ T
8 violacer ▸ T, P
7 violenter ▸ T
7 violer ▸ T
7 virer ▸ I, T, Ti
7 virevolter ▸ I
7 viriliser ▸ T
9 viser ▸ I, T, Ti
7 visionner ▸ T
7 visiter ▸ T
7 visser ▸ T, P
7 visualiser ▸ T
7 vitrer ▸ T
17 vitrifier ▸ T
7 vitrioler ▸ T
11 vitupérer ▸ I, T
17 vivifier ▸ T
7 vivoter ▸ I

82 vivre ▸ I, T
7 vocaliser ▸ I, T
11 vociférer ▸ I, T
7 voguer ▸ I
7 voiler ▸ I, T, P
42 voir ▸ I, T, Ti, P
7 voisiner ▸ I
7 voiturer ▸ T
7 volatiliser ▸ T, P
7 voler ▸ I, T, P
13 voleter ▸ I
18 volleyer ▸ I
9 voltiger ▸ I
21 vomir ▸ I, T
7 voter ▸ I, T
7 vouer ▸ T, P
51 vouloir ▸ I, T, Ti, P
51 s'en vouloir ▸ P,
    p.p. invariable
7 voûter / vouter ▸ T, P
19 vouvoyer ▸ T, P
9 voyager ▸ I
7 vriller ▸ I, T
21 vrombir ▸ I
7 vulcaniser ▸ T
7 vulgariser ▸ T

Z

7 zapper ▸ I, T
11 zébrer ▸ T
18 zézayer ▸ I
7 zieuter ▸ T
7 zigouiller ▸ T
7 zigzaguer ▸ I
7 zoner ▸ T
7 zoomer ▸ T, Ti
7 zouker ▸ I
7 zozoter ▸ I

Achevé d'imprimer en octobre 2010 par Normandie Roto Impression s.a.s., 61250 Lonrai
N° d'imprimeur : 103854 : Dépôt légal : 93392 - 9/4 - octobre 2010 - *Imprimé en France*